4주 완성 스케줄표

공부한 날	주	일	학습 내용
월 일	1주	도입	1주에 배울 내용을 알아볼까요?
		1일	100이 10개인 수, 몇천 알아보기
월 일		2일	네 자리 수 알아보기
월 일		3일	각 자리의 숫자가 나타내는 값
월 일		4일	뛰어 세기
월 일		5일	네 자리 수의 크기 비교
		평가/특강	누구나 100점 맞는 테스트/창의·융합·코딩
월 일	2주	도입	2주에 배울 내용을 알아볼까요?
		1일	2단 곱셈구구
월 일		2일	3단 곱셈구구
월 일		3일	4단 곱셈구구
월 일		4일	5단 곱셈구구
월 일		5일	6단 곱셈구구
		평가/특강	누구나 100점 맞는 테스트/창의·융합·코딩
월 일	3주	도입	3주에 배울 내용을 알아볼까요?
		1일	7단 곱셈구구
월 일		2일	8단 곱셈구구
월 일		3일	9단 곱셈구구
월 일		4일	1단 곱셈구구와 0의 곱, 곱셈표 만들기
월 일		5일	cm보다 더 큰 단위 알아보기
		평가/특강	누구나 100점 맞는 테스트/창의·융합·코딩
월 일	4주	도입	4주에 배울 내용을 알아볼까요?
		1일	길이의 합
월 일		2일	길이의 차
월 일		3일	시각 읽기, 몇 시 몇 분 전 알아보기
월 일		4일	1시간, 걸린 시간 알아보기
월 일		5일	하루의 시간, 달력 알아보기
		평가/특강	누구나 100점 맞는 테스트/창의·융합·코딩

공부한 날을 표시하고 하루하루 학습 내용을 살펴보세요.

Chunjae Makes Chunjae

기획총괄	박금옥
편집개발	지유경, 정소현, 조선영, 원희정, 이정선, 최윤석, 김선주, 박선민
디자인총괄	김희정
표지디자인	윤순미, 안채리
내지디자인	박희춘, 이혜진
제작	황성진, 조규영

발행일	2021년 4월 15일 초판 2021년 4월 15일 1쇄
발행인	(주)천재교육
주소	서울시 금천구 가산로9길 54
신고번호	제2001-000018호
고객센터	1577-0902

똑 똑 한 하루 계산 2B

기운과 끈기는
모든 것을 이겨낸다.
- 벤자민 플랭크린 -

주별 Contents

똑똑한 하루 계산 이 책의 특징

도입 이번에 배울 내용을 알아볼까요?

이번 주에 공부할 내용을 만화로 재미있게!

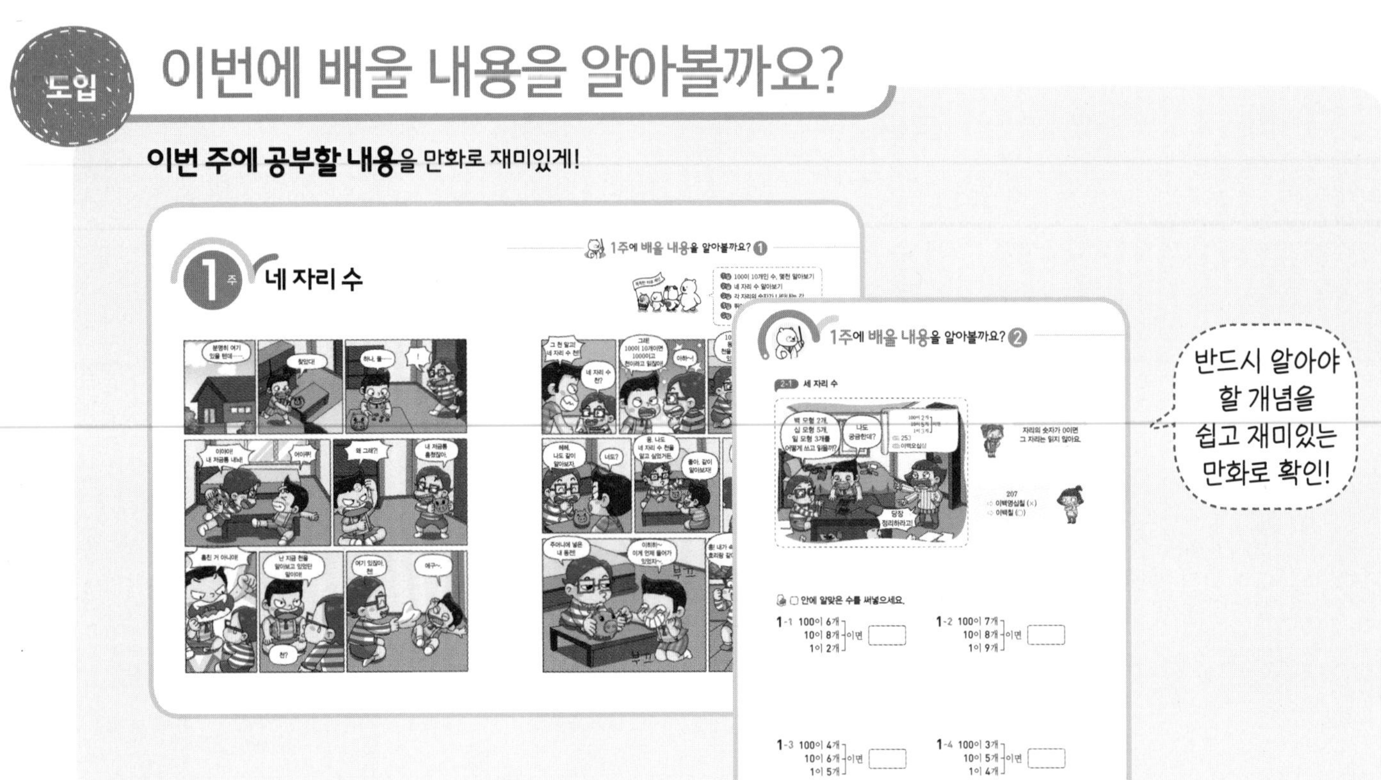

개념 완성 개념·원리 확인

쉬운 계산 원리를 만화로 쏙쏙!

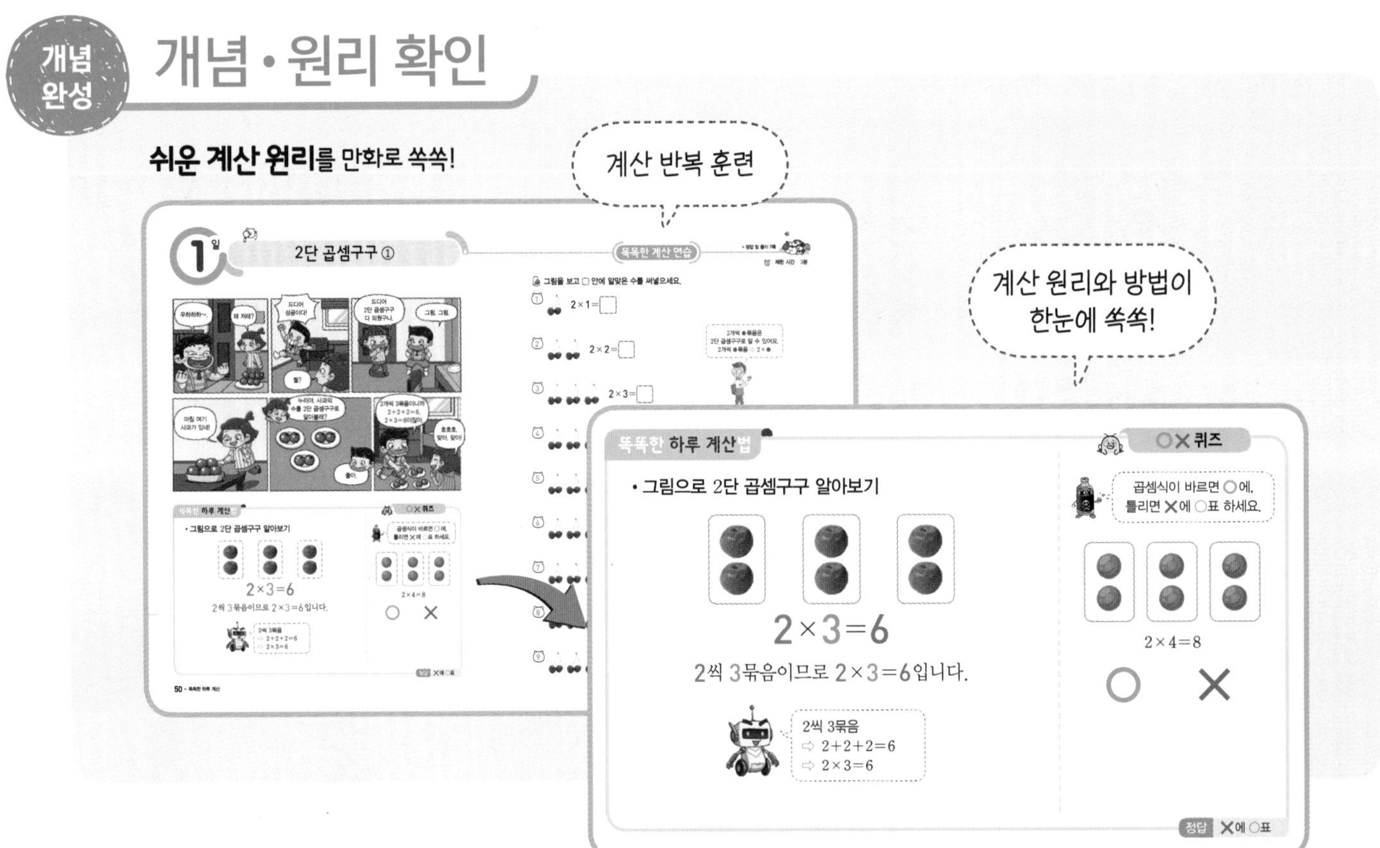

기초 집중 연습

다양한 형태의 계산 문제를 **반복**하여 완벽하게 익히기!

생활 속에서 필요한 계산 연습!

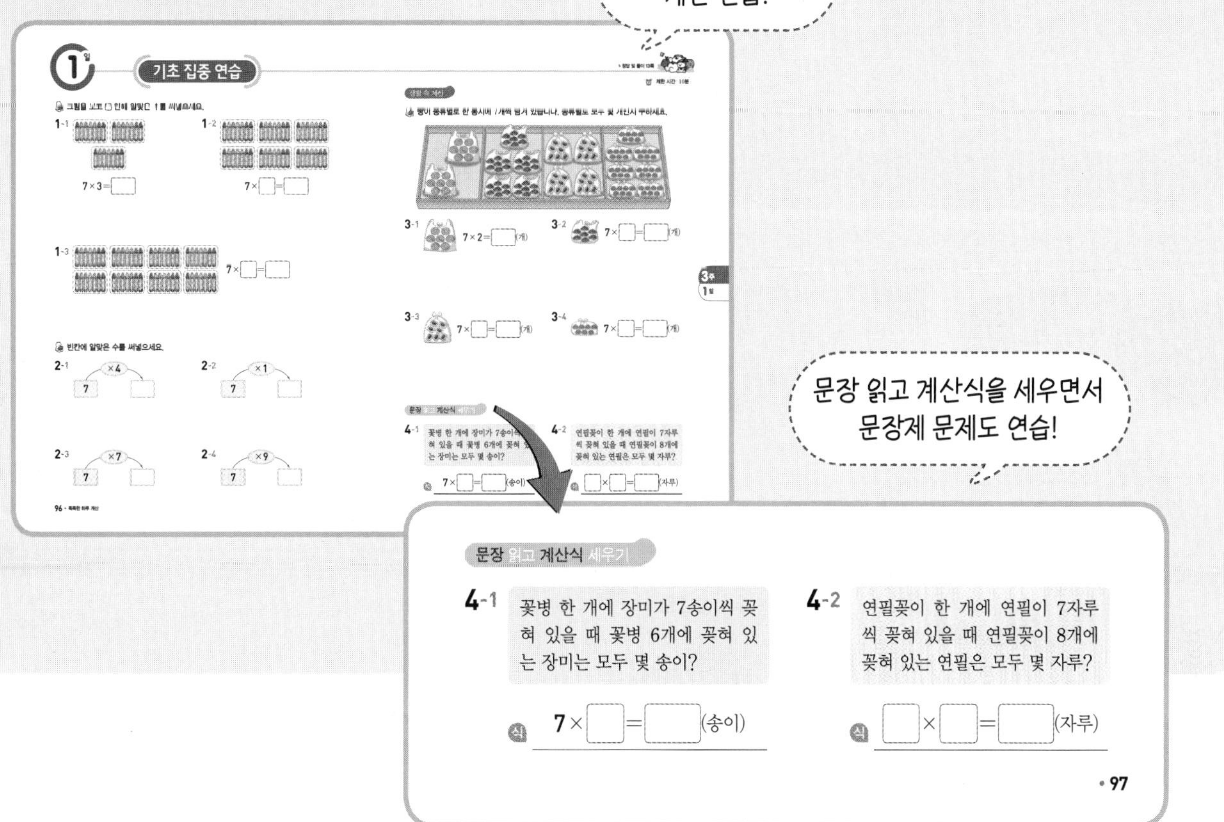

문장 읽고 계산식을 세우면서 문장제 문제도 연습!

평가 + 창의·융합·코딩

한 주에 **배운 내용**을 **테스트**로 마무리!

빠르고 정확하게 풀어 보자!

4차 산업 혁명 시대에 알맞은 최신 트렌드 유형

요즘 수학 문제인 **창의·융합·코딩** 문제 수록

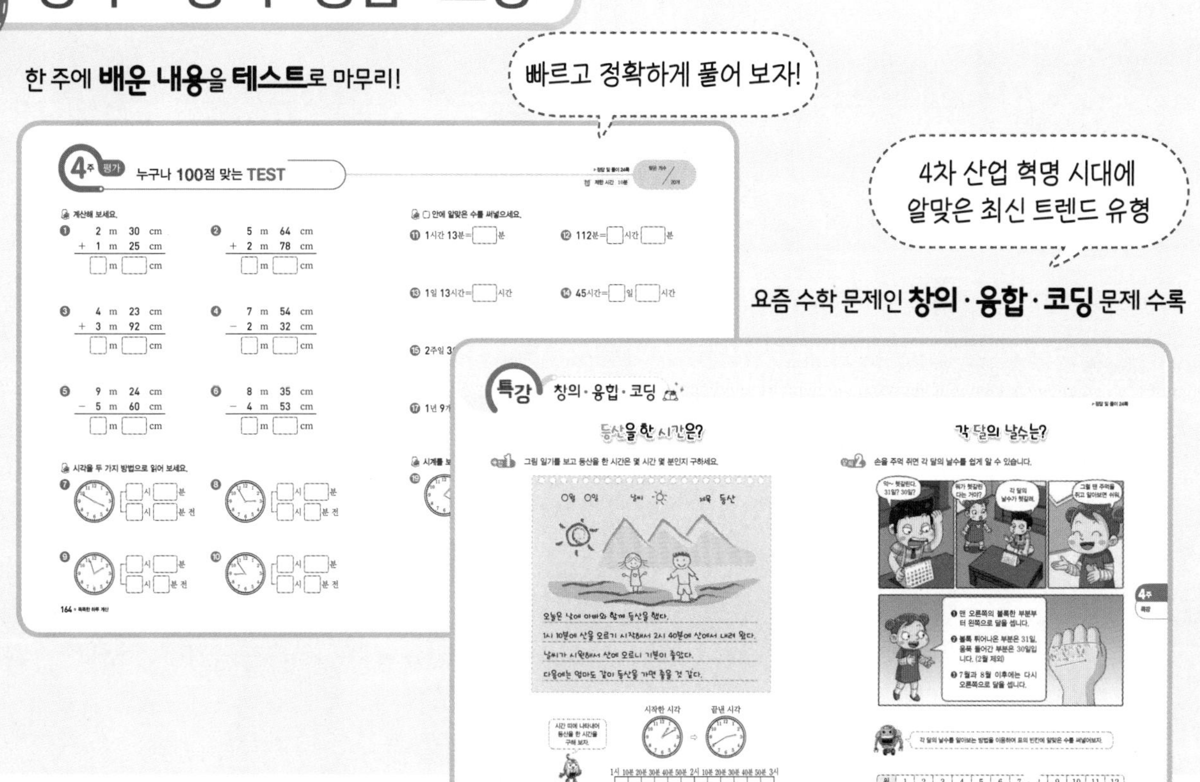

1주 네 자리 수

분명히 여기
있을 텐데…….

찾았다!

하나, 둘……
!

이야아!
내 저금통 내놔!
어이쿠!

왜 그래?!
내 저금통
훔쳤잖아.

훔친 거 아니야!

난 지금 천을
알아보고 있었단
말이야!
천?

여기 있잖아.
천!
에구~.

 1주에 배울 내용을 알아볼까요? 

- 1일 100이 10개인 수, 몇천 알아보기
- 2일 네 자리 수 알아보기
- 3일 각 자리의 숫자가 나타내는 값
- 4일 뛰어 세기
- 5일 네 자리 수의 크기 비교

1주에 배울 내용을 알아볼까요? 

2-1 세 자리 수

자리의 숫자가 0이면
그 자리는 읽지 않아요.

207
⇨ 이백영십칠 (×)
⇨ 이백칠 (○)

□ 안에 알맞은 수를 써넣으세요.

1-1 100이 6개, 10이 8개, 1이 2개이면 □

1-2 100이 7개, 10이 8개, 1이 9개이면 □

1-3 100이 4개, 10이 6개, 1이 5개이면 □

1-4 100이 3개, 10이 5개, 1이 4개이면 □

2-1 두 수의 크기 비교

백의 자리 숫자가 큰 수가 더 커요.
⇨ 535 > 316

백의 자리 숫자가 같으면 십의 자리 숫자가 큰 수가 더 커요.
⇨ 624 < 681

두 수의 크기를 비교하여 ○ 안에 > 또는 <를 알맞게 써넣으세요.

2-1 271 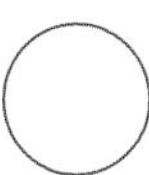 127

2-2 693  836

2-3 185  176

2-4 191 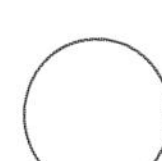 194

100이 10개인 수

똑똑한 하루 계산법

• 1000 **알아보기**

100이 10개이면 **1000**입니다.

쓰기 **1000**

읽기 **천**

1000은 990보다 10만큼 더 큰 수입니다.

OX 퀴즈

설명이 맞으면 ○에, 틀리면 ✕에 ○표 하세요.

990보다 1만큼 더 큰 수는 1000입니다.

○ ✕

정답 ✕에 ○표

똑똑한 계산 연습

제한 시간 3분

수직선을 보고 ▢ 안에 알맞은 수를 써넣으세요.

1

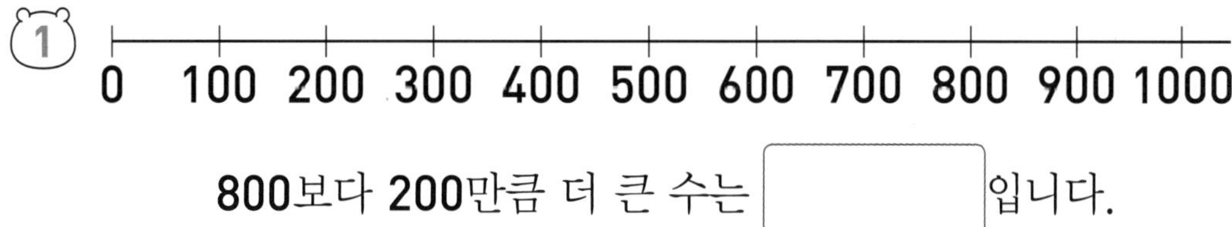

800보다 200만큼 더 큰 수는 ▢ 입니다.

2

0 100 200 300 400 500 600 700 800 900 1000

900보다 ▢ 만큼 더 큰 수는 1000입니다.

3

991 992 993 994 995 996 997 998 999 1000

999보다 ▢ 만큼 더 큰 수는 1000입니다.

▢ 안에 알맞은 수를 써넣으세요.

4 500보다 ▢ 만큼 더 큰 수는 1000입니다.

5 300보다 ▢ 만큼 더 큰 수는 1000입니다.

6 950보다 ▢ 만큼 더 큰 수는 1000입니다.

7 990보다 ▢ 만큼 더 큰 수는 1000입니다.

8 700보다 ▢ 만큼 더 큰 수는 1000입니다.

9 980보다 ▢ 만큼 더 큰 수는 1000입니다.

몇천 알아보기

똑똑한 하루 계산법

• 3000 **알아보기**

1000이 3개이면 **3000**입니다.

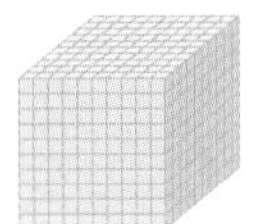 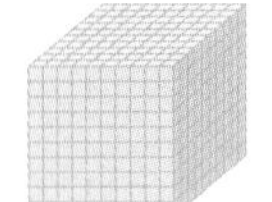 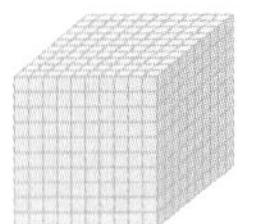

쓰기 **3000** 읽기 **삼천**

• **몇천을 쓰고 읽기**

1000	천	2000	이천	3000	삼천
4000	사천	5000	오천	6000	육천
7000	칠천	8000	팔천	9000	구천

수를 바르게 읽었으면 ○에, 틀리게 읽었으면 ✕에 ○표 하세요.

6000
⇨ 여섯천

정답 ✕에 ○표

▶정답 및 풀이 1쪽

제한 시간 3분

수 모형을 보고 ☐ 안에 알맞은 수를 써넣으세요.

1 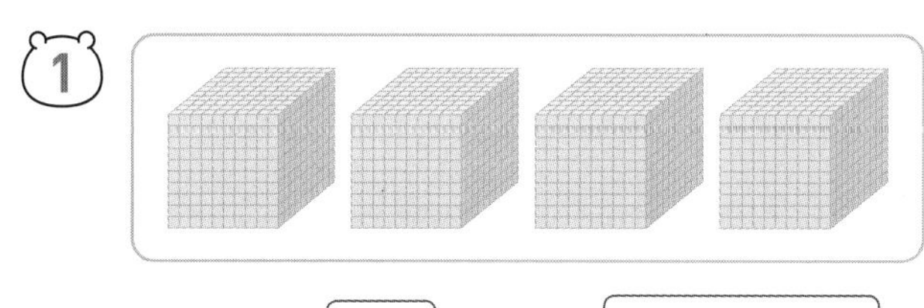

1000이 ☐ 개이면 ☐ 입니다.

2 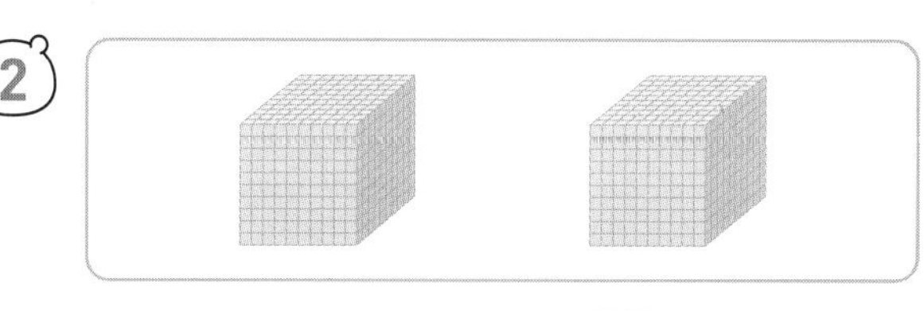

1000이 ☐ 개이면 ☐ 입니다.

수를 읽거나 수로 나타내어 보세요.

③ 7000		④	육천
⑤ 9000		⑥	오천
⑦ 4000		⑧	팔천
⑨ 2000		⑩	삼천

1주 1일

기초 집중 연습

□ 안에 알맞은 수를 써넣으세요.

1-1 1000은 900보다 □ 만큼 더 큰 수입니다.

1-2 1000은 990보다 □ 만큼 더 큰 수입니다.

수 모형이 나타내는 수를 쓰고 읽어 보세요.

2-1

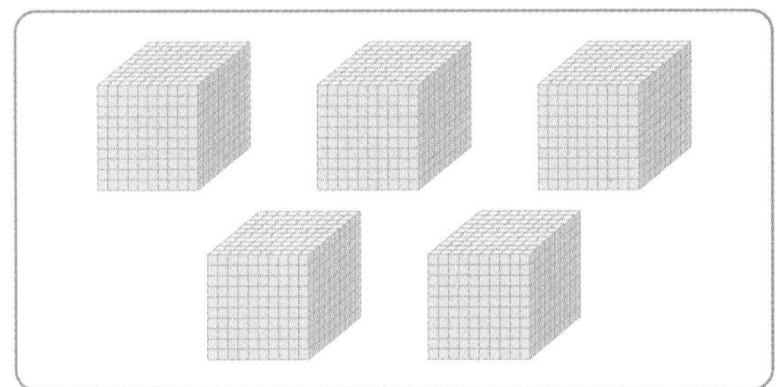

쓰기	읽기

2-2

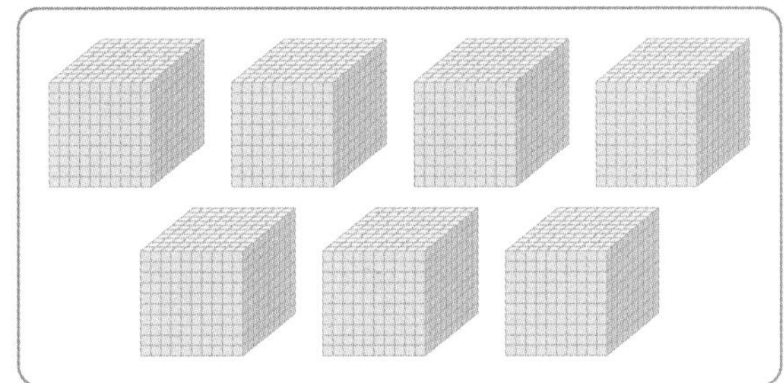

쓰기	읽기

2-3

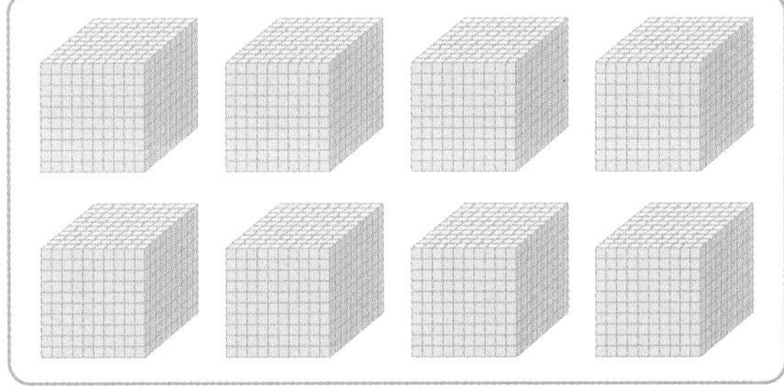

쓰기	읽기

2-4

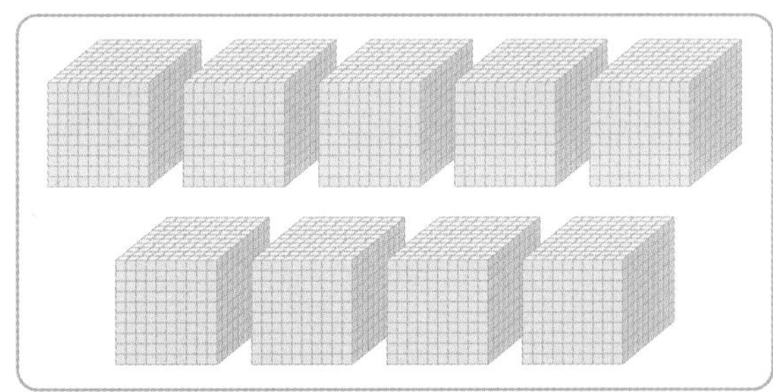

쓰기	읽기

제한 시간 6분

생활 속 문제

1000원이 되려면 얼마가 더 필요한지 구하세요.

3-1

☐ 원

3-2

☐ 원

3-3

☐ 원

3-4

☐ 원

문장 읽고 문제 해결하기

4-1 동화책이 한 상자에 1000권씩 6상자이면 동화책은 모두 몇 권?

답 ________ 권

4-2 위인전이 한 상자에 1000권씩 8상자이면 위인전은 모두 몇 권?

답 ________ 권

네 자리 수 알아보기 ①

똑똑한 하루 계산법

• 네 자리 수 알아보기

천 모형	백 모형	십 모형	일 모형
1000이 2개	100이 4개	10이 3개	1이 6개

1000이 2개, 100이 4개, 10이 3개, 1이 6개이면 2436입니다.

1000이 ●개, 100이 ▲개, 10이 ■개, 1이 ♥개이면 ●▲■♥입니다.

똑똑한 계산 연습

▶정답 및 풀이 2쪽

제한 시간 3분

□ 안에 알맞은 수를 써넣으세요.

1. 1000이 3개, 100이 6개, 10이 7개, 1이 5개이면 □

2. 1000이 4개, 100이 9개, 10이 7개, 1이 2개이면 □

3. 1000이 7개, 100이 2개, 10이 3개, 1이 6개이면 □

4. 1000이 6개, 100이 1개, 10이 5개, 1이 8개이면 □

5. 1000이 □개, 100이 □개, 10이 □개, 1이 □개이면 8914

6. 1000이 □개, 100이 □개, 10이 □개, 1이 □개이면 9233

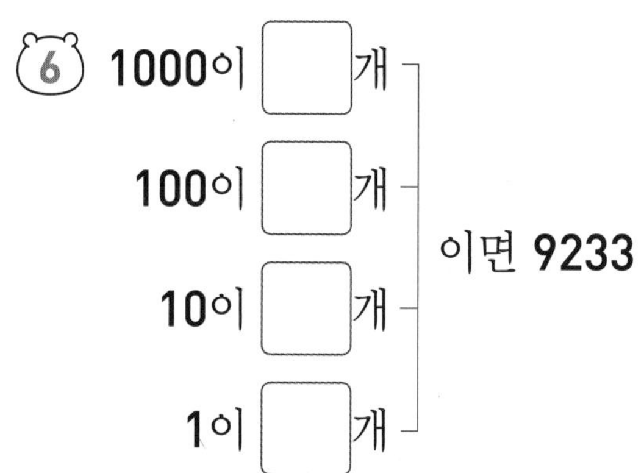

2일 네 자리 수 알아보기 ②

똑똑한 하루 계산법

• **네 자리 수 쓰고 읽기**

1000이 2개, 100이 5개, 10이 4개, 1이 3개 이면 2543입니다.

1000이 2개, 100이 5개, 10이 4개, 1이 3개 이면

쓰기 2543

읽기 이천오백사십삼

자리의 숫자가 0이면 그 자리는 읽지 않습니다.

3025

⇨ 삼천영백이십오(×)

⇨ 삼천이십오(○)

○× 퀴즈

수를 바르게 읽었으면 ○에, 틀리게 읽었으면 ×에 ○표 하세요.

7206

⇨ 칠천이백영십육

정답 ×에 ○표

똑똑한 계산 연습

▶정답 및 풀이 2쪽

제한 시간 | 4분

수를 읽어 보세요.

1 5231

⇨ ____________

2 4609

⇨ ____________

3 8025

⇨ ____________

4 3780

⇨ ____________

5 6429

⇨ ____________

6 1687

⇨ ____________

7 7062

⇨ ____________

8 9651

⇨ ____________

수로 나타내어 보세요.

9 이천삼 ⇨ [ ]

10 오천이백육십구 ⇨ [ ]

11 구천이백십칠 ⇨ [ ]

12 삼천팔십이 ⇨ [ ]

13 오천백이십오 ⇨ [ ]

14 육천오십 ⇨ [ ]

1주 2일

2일 기초 집중 연습

수 모형이 나타내는 수를 쓰고 읽어 보세요.

1-1

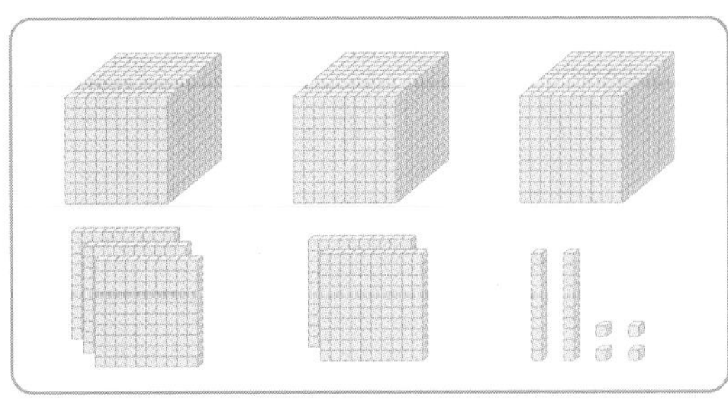

쓰기	
읽기	

1-2

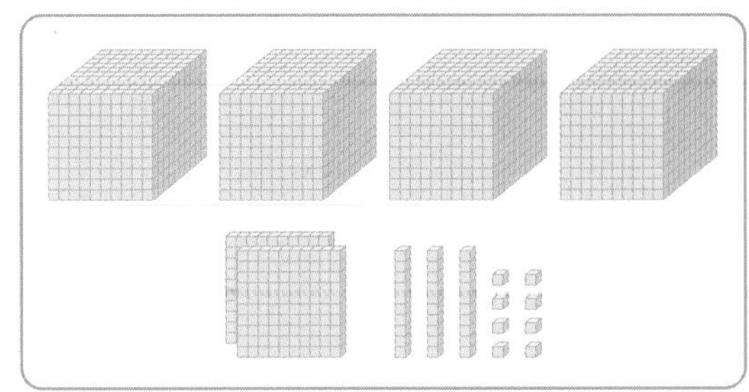

쓰기	
읽기	

□ 안에 알맞은 수를 써넣으세요.

2-1

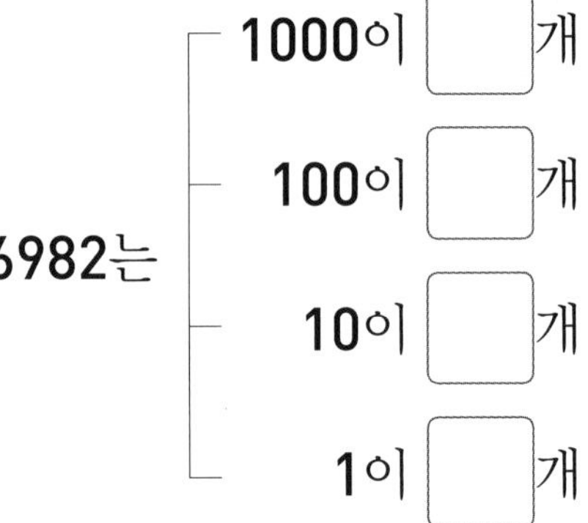

6982는 1000이 □개, 100이 □개, 10이 □개, 1이 □개

2-2

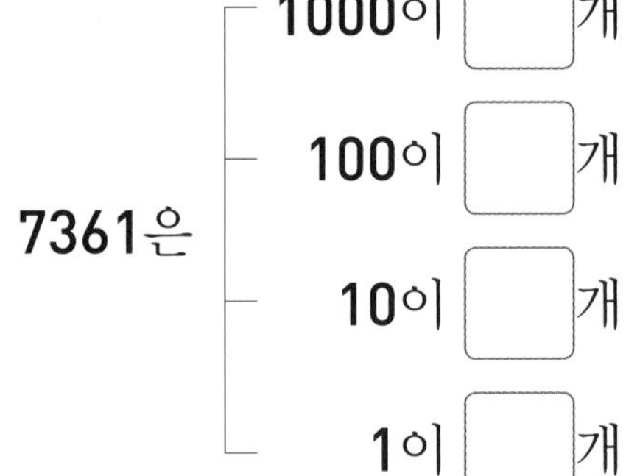

7361은 1000이 □개, 100이 □개, 10이 □개, 1이 □개

2-3

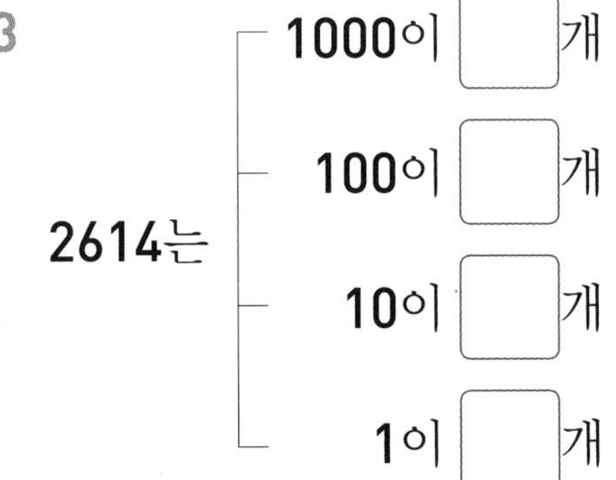

2614는 1000이 □개, 100이 □개, 10이 □개, 1이 □개

2-4

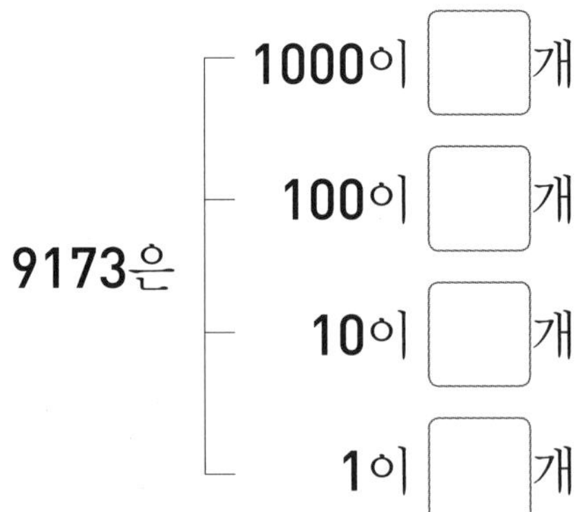

9173은 1000이 □개, 100이 □개, 10이 □개, 1이 □개

제한 시간 8분

생활 속 문제

모두 얼마인지 구하세요.

3-1

(   )원

3-2

(   )원

3-3

(   )원

3-4

(   )원

문장 읽고 문제 해결하기

4-1 1000이 5개, 100이 7개, 10이 3개, 1이 2개인 네 자리 수는?

답 ______

4-2 1000이 7개, 100이 5개, 10이 9개, 1이 3개인 네 자리 수는?

답 ______

3일 각 자리의 숫자가 나타내는 값 ①

똑똑한 하루 계산법

• 3426의 각 자리의 숫자가 나타내는 값

천의 자리	백의 자리	십의 자리	일의 자리
3	4	2	6

⇩

3	0	0	0
	4	0	0
		2	0
			6

- 3은 천의 자리 숫자이고, 3000을 나타냅니다.
- 4는 백의 자리 숫자이고, 400을 나타냅니다.
- 2는 십의 자리 숫자이고, 20을 나타냅니다.
- 6은 일의 자리 숫자이고, 6을 나타냅니다.

3426=3000+400+20+6

똑똑한 계산 연습

▶정답 및 풀이 3쪽

제한 시간 4분

주어진 수의 각 자리 숫자를 빈칸에 알맞게 써넣으세요.

① 3345

천의 자리	백의 자리	십의 자리	일의 자리

② 2416

천의 자리	백의 자리	십의 자리	일의 자리

③ 4637

천의 자리	백의 자리	십의 자리	일의 자리

④ 5294

천의 자리	백의 자리	십의 자리	일의 자리

□ 안에 알맞은 수를 써넣으세요.

⑤ $8231=8000+200+\square+1$

⑥ $6234=6000+\square+30+4$

⑦ $7345=\square+300+\square+5$

⑧ $8596=\square+500+90+\square$

3일 각 자리의 숫자가 나타내는 값 ②

똑똑한 하루 계산법

• 숫자 5가 나타내는 값 알아보기

5176 ⇨ 5000
천의 자리 숫자

2547 ⇨ 500
백의 자리 숫자

3552 ⇨ 50
십의 자리 숫자

4685 ⇨ 5
일의 자리 숫자

숫자가 어느 자리에
있는지에 따라
나타내는 값이
달라집니다.

OX 퀴즈

숫자 2가 나타내는 값이
바르면 ○에, 틀리면 ✕에
○표 하세요.

4279 ⇨ 200

○ ✕

정답 ○에 ○표

똑똑한 계산 연습

제한 시간 4분

밑줄 친 숫자가 나타내는 값을 쓰세요.

① 5<u>4</u>07 ⇨ ☐

② 601<u>7</u> ⇨ ☐

③ 35<u>6</u>9 ⇨ ☐

④ <u>6</u>403 ⇨ ☐

⑤ 4<u>7</u>21 ⇨ ☐

⑥ 92<u>1</u>5 ⇨ ☐

⑦ <u>1</u>482 ⇨ ☐

⑧ 890<u>4</u> ⇨ ☐

⑨ 3<u>7</u>06 ⇨ ☐

⑩ <u>7</u>491 ⇨ ☐

⑪ 6<u>4</u>75 ⇨ ☐

⑫ 96<u>2</u>4 ⇨ ☐

3일 기초 집중 연습

□ 안에 알맞은 말을 써넣으세요.

1-1

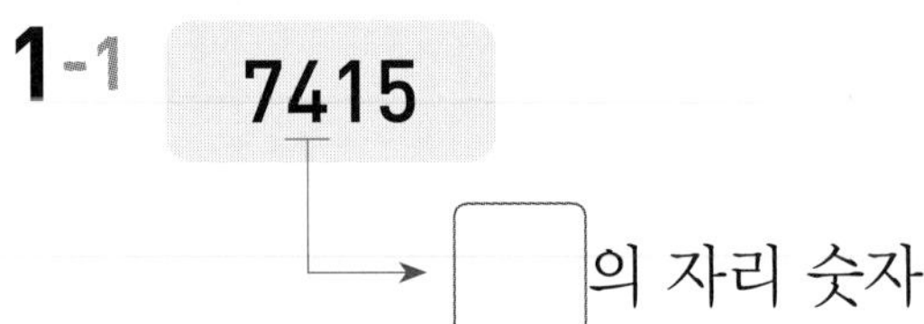

1-2

1-3 **1**-4

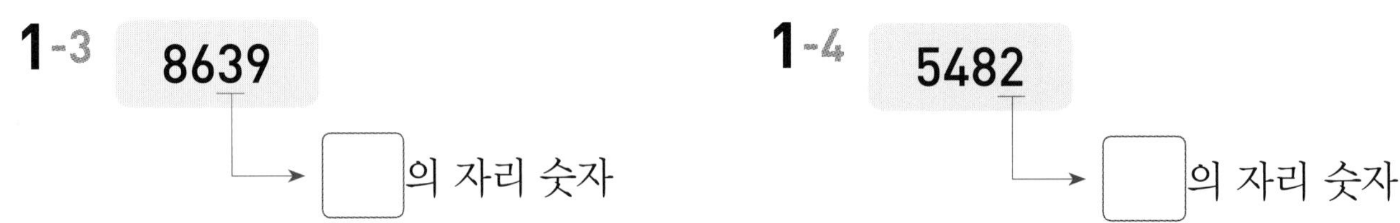

밑줄 친 숫자가 나타내는 값을 바르게 쓴 것을 찾아 기호를 쓰세요.

2-1

㉠ $2\underline{1}38$ ⇨ 1000
㉡ $\underline{3}549$ ⇨ 3000

□

2-2

㉠ $14\underline{4}3$ ⇨ 40
㉡ $5\underline{3}10$ ⇨ 3000

□

2-3

㉠ $287\underline{9}$ ⇨ 9
㉡ $\underline{9}350$ ⇨ 900

□

2-4

㉠ $34\underline{3}8$ ⇨ 30
㉡ $\underline{3}094$ ⇨ 3

□

제한 시간 8분

생활 속 문제

□ 안에 알맞은 버스 번호를 써넣으세요.

3-1 천의 자리 숫자가 8인 버스를 타야 합니다.

□

3-2 십의 자리 숫자가 2인 버스를 타야 합니다.

□

3-3 백의 자리 숫자가 6인 버스를 타야 합니다.

□

3-4 일의 자리 숫자가 4인 버스를 타야 합니다.

□

문장 읽고 문제 해결하기

4-1 천의 자리 숫자가 8, 백의 자리 숫자가 4, 십의 자리 숫자가 6, 일의 자리 숫자가 3인 네 자리 수는?

답 ______________

4-2 천의 자리 숫자가 2, 백의 자리 숫자가 7, 십의 자리 숫자가 5, 일의 자리 숫자가 1인 네 자리 수는?

답 ______________

4일

뛰어 세기 ①

이거 봐~
그게 뭔데?
실내 놀이터 입장권!
우와!
너 시간 있지?
그럼, 남는 게 시간이야!
아참, 근데 난 뛰어 세기 숙제부터 해야 갈 수 있어.
내가 도와줄게!

1000씩 뛰어 세면,
5000 6000 7000 8000 9000
천의 자리 숫자가 1씩 커지고,
10씩 뛰어 세면 십의 자리 숫자가 1씩 커지는 거야.
9950 9960 9970 9980 9990
그렇구나!

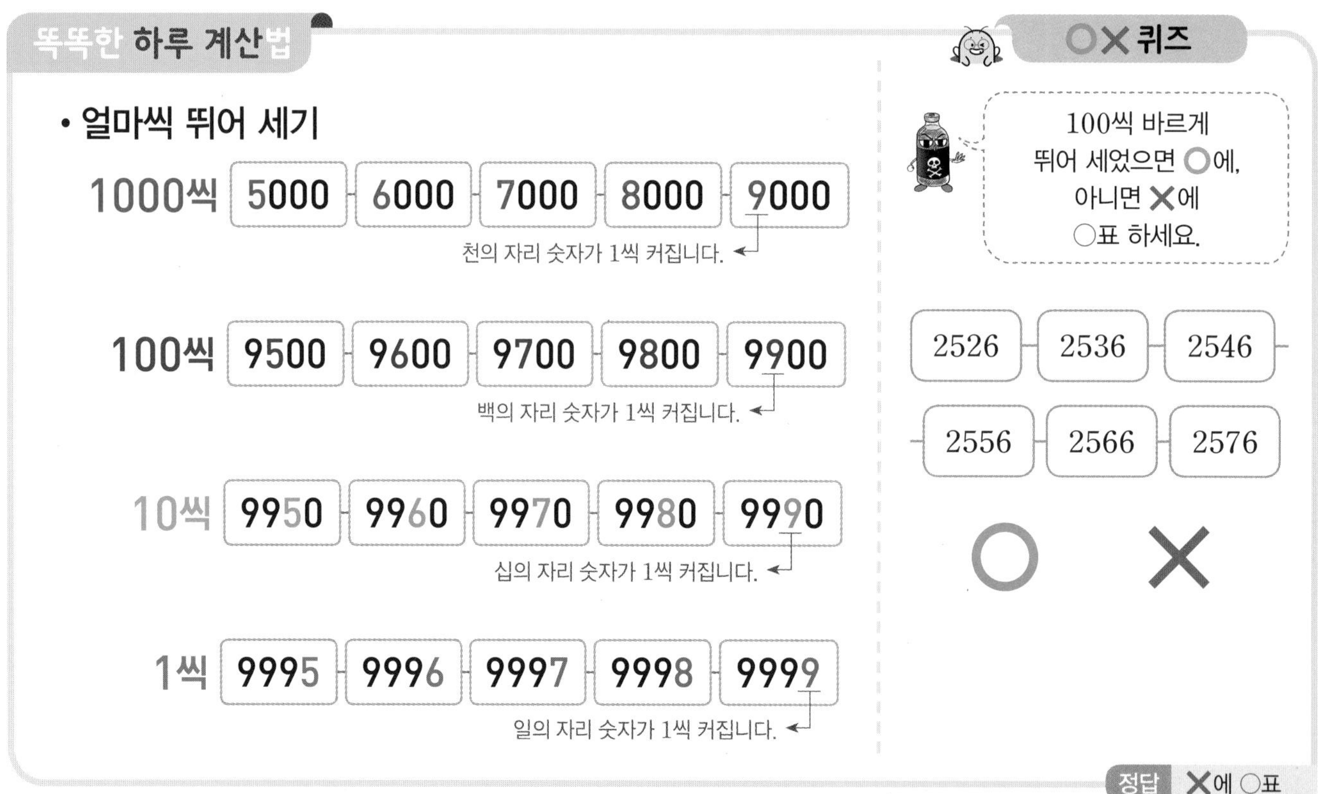
똑똑한 하루 계산법
• 얼마씩 뛰어 세기
1000씩 5000 6000 7000 8000 9000
천의 자리 숫자가 1씩 커집니다.
100씩 9500 9600 9700 9800 9900
백의 자리 숫자가 1씩 커집니다.
10씩 9950 9960 9970 9980 9990
십의 자리 숫자가 1씩 커집니다.
1씩 9995 9996 9997 9998 9999
일의 자리 숫자가 1씩 커집니다.
○✕ 퀴즈
100씩 바르게 뛰어 세었으면 ○에, 아니면 ✕에 ○표 하세요.
2526 2536 2546
2556 2566 2576
○ ✕
정답 ✕에 ○표

똑똑한 계산 연습

▶정답 및 풀이 4쪽

제한 시간 4분

1000씩 뛰어 세어 보세요.

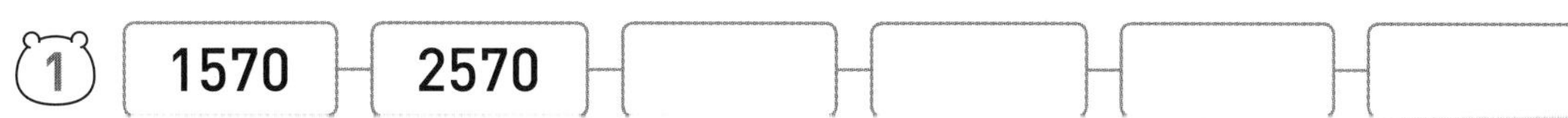

100씩 뛰어 세어 보세요.

10씩 뛰어 세어 보세요.

1주 4일

4일 뛰어 세기 ②

똑똑한 하루 계산법

• 얼마씩 뛰어 센 것인지 알아보기

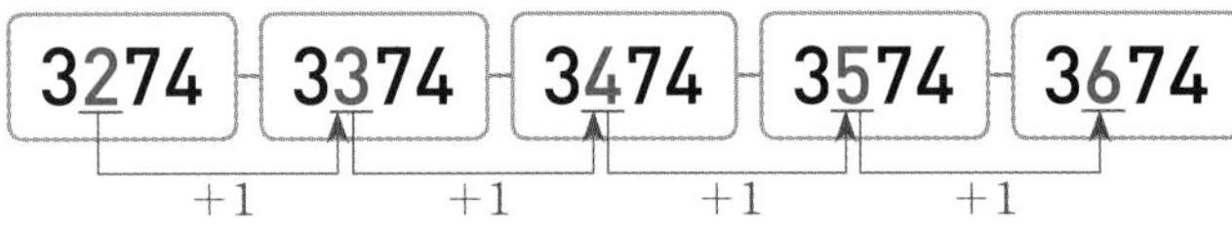

⇨ **백의 자리 숫자가 1씩** 커지고 있으므로 **100씩** 뛰어 센 것입니다.

어느 자리 숫자가 얼만큼 변하는지 알아보면 뛰어 세는 규칙을 알 수 있습니다.

개념 퀴즈

바르게 설명했으면 ○에, 틀리게 설명했으면 ✕에 ○표 하세요.

1328 – 1338 – 1348 – 1358 – 1368 – 1378

⇨ 100씩 뛰어 센 것입니다.

○ ✕

정답 ✕에 ○표

똑똑한 계산 연습

제한 시간 4분

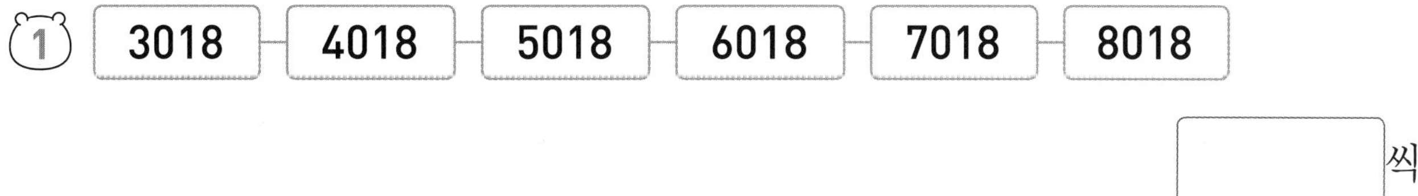

씩

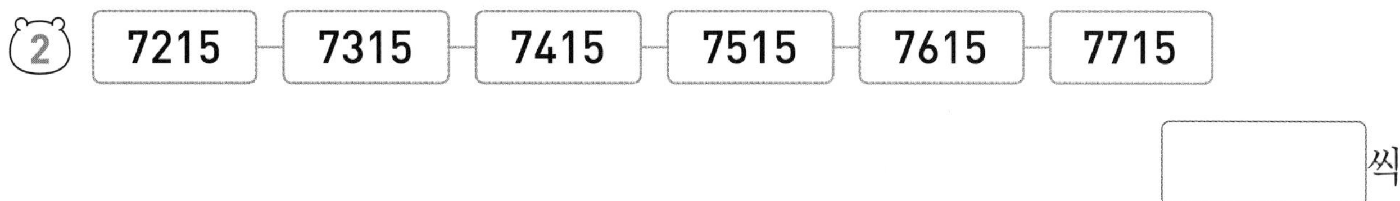

씩

씩

씩

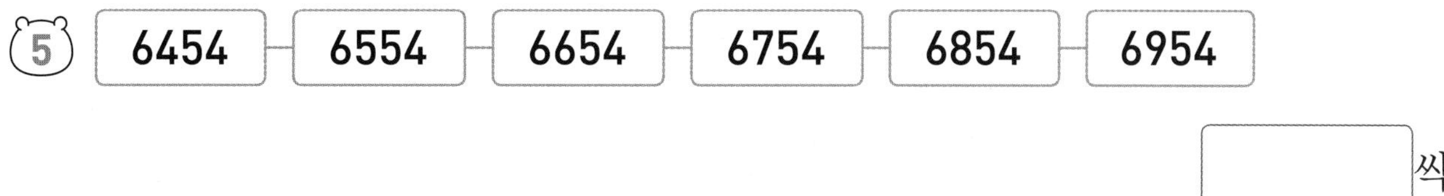

씩

4일

기초 집중 연습

규칙을 찾아 뛰어 세어 보세요.

1-1

1-2

1-3

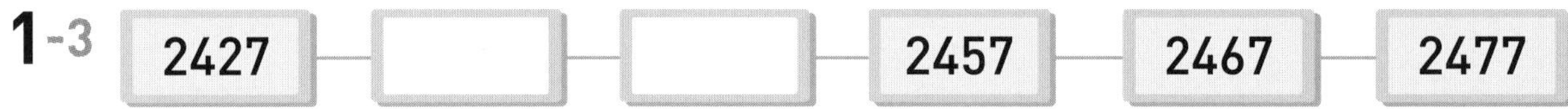

1-4

5172	5272	5372			5672

뛰어 세는 규칙을 찾아 ㉠에 알맞은 수를 구하세요.

2-1

8064	8164	8264			㉠

2-2

1053	2053	3053			㉠

▶정답 및 풀이 4쪽

제한 시간 8분

생활 속 문제

저금통에 돈을 더 넣으면 모두 얼마가 되는지 구하세요.

3-1 1000원씩 5번

(　　　)원

3-2 100원씩 4번

(　　　)원

문장 읽고 문제 해결하기

4-1 3021에서 1000씩 커지게 3번 뛰어 센 수는?

답 ______

4-2 6250에서 10씩 커지게 5번 뛰어 센 수는?

답 ______

4-3 4524에서 1씩 커지게 5번 뛰어 센 수는?

답 ______

4-4 7487에서 100씩 커지게 4번 뛰어 센 수는?

답 ______

1주 4일

5일 네 자리 수의 크기 비교 ①

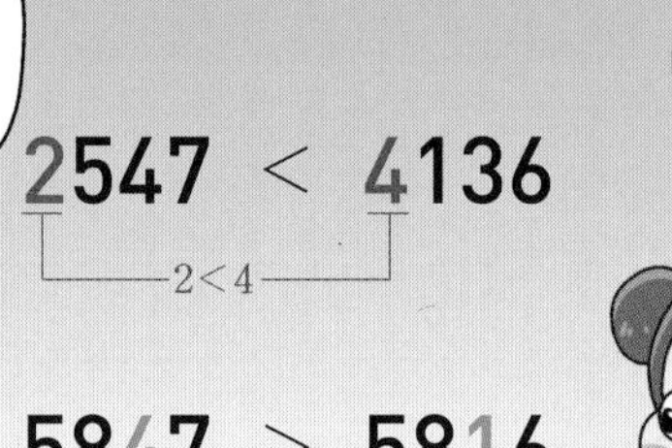

똑똑한 하루 계산법

- **두 수의 크기 비교**

천의 자리부터 같은 자리 숫자끼리 차례로 비교합니다.
높은 자리 숫자가 클수록 큰 수입니다.

예 천의 자리 숫자가 다른 경우

2547 ⓒ 4136 → 천의 자리 숫자가 클수록 큰 수입니다.
(2<4)

천, 백의 자리 숫자가 각각 같은 경우

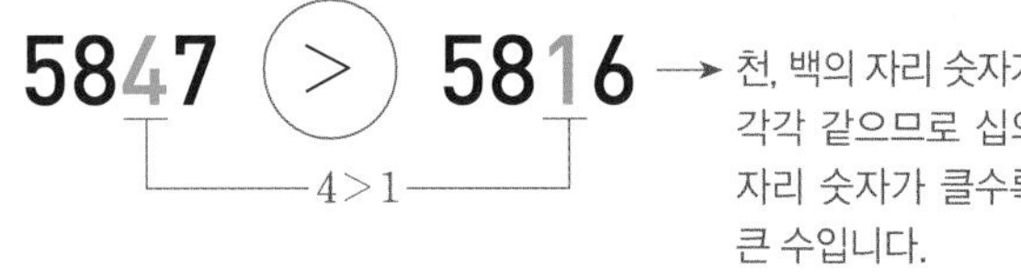

5847 ⓒ 5816 → 천, 백의 자리 숫자가 각각 같으므로 십의 자리 숫자가 클수록 큰 수입니다.
(4>1)

OX 퀴즈

수의 크기 비교를 바르게 했으면 ○에, 틀리게 했으면 ✕에 ○표 하세요.

1206은 2012보다 작습니다.

○ ✕

정답 ○에 ○표

똑똑한 계산 연습

▶정답 및 풀이 5쪽

제한 시간 4분

두 수의 크기를 비교하여 ○ 안에 >, <를 알맞게 써넣으세요.

① 3010 ○ 2984

② 5801 ○ 5081

③ 2308 ○ 3280

④ 7901 ○ 7591

⑤ 1945 ○ 1946

⑥ 1089 ○ 2040

⑦ 5678 ○ 5649

⑧ 8859 ○ 8905

⑨ 3099 ○ 3922

⑩ 4320 ○ 4319

⑪ 2114 ○ 2014

⑫ 7030 ○ 7129

네 자리 수의 크기 비교 ②

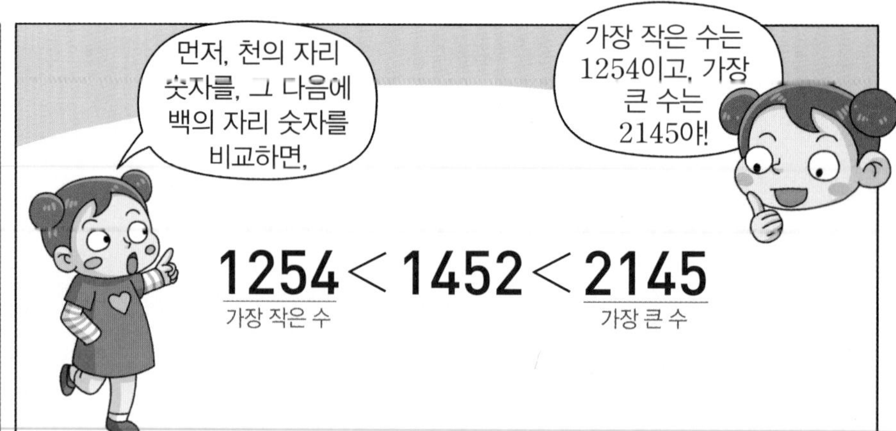

똑똑한 하루 계산법

• **세 수** 1254, 2145, 1452**의 크기 비교**

① 천의 자리 숫자를 한 번에 비교합니다.

→ 가장 큰 수

1254　　**2145**　　**1452**

2 > 1

② 남은 두 수의 백의 자리 숫자를 비교합니다.

→ 더 큰 수

1254 (<) **1452**

2 < 4

1254 < **1452** < **2145**

가장 작은 수　　가장 큰 수

○✕ 퀴즈

세 수의 크기 비교를
바르게 했으면 ○에,
틀리게 했으면 ✕에
○표 하세요.

2345 < 2435 < 2534

정답 ○에 ○표

똑똑한 계산 연습

제한 시간 4분

수의 크기를 비교하여 가장 큰 수에 ○표, 가장 작은 수에 △표 하세요.

① 4725 7269 8752

② 3152 2057 2437

③ 5840 3406 5748

④ 6174 6217 6583

⑤ 9261 6026 8786

⑥ 8417 8143 7229

⑦ 2483 2425 2738

5일 기초 집중 연습

두 수 중 더 큰 수를 빈 곳에 써넣으세요.

1-1

1972	1875

1-2

3500	3502

1-3

5404	5103

1-4

2638	2639

세 수 중 가장 큰 수를 찾아 빈 곳에 써넣으세요.

2-1

6028 6025 6029

2-2

5210 5220 5218

2-3

4264 3264 2264

2-4

7415 7315 8215

제한 시간 8분

생활 속 문제

가격을 비교하여 ○ 안에 >, <를 알맞게 써넣으세요.

3-1  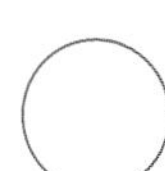 

3-2  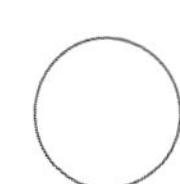 

3-3 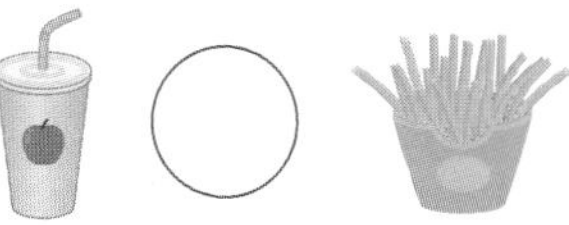

3-4  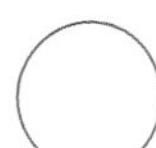 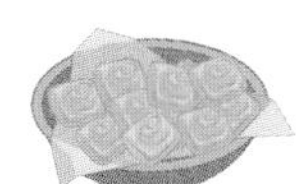

문장 읽고 문제 해결하기

4-1 관람객 수가 미술관은 1760명, 박물관은 1870명일 때 관람객 수가 더 많은 곳은?

답 ______________

4-2 입장객 수가 동물원은 1968명, 놀이동산은 2011명일 때 입장객 수가 더 많은 곳은?

답 ______________

1주 5일

누구나 100점 맞는 TEST

수로 나타내어 보세요.

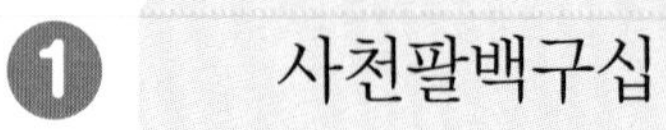

❶ 사천팔백구십

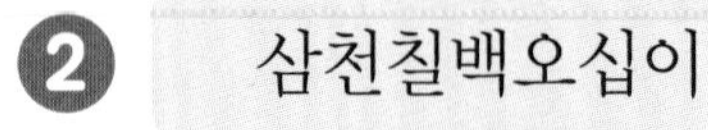

❷ 삼천칠백오십이

□ 안에 알맞은 수를 써넣으세요.

❸ 1000이 2개, 100이 7개, 10이 9개, 1이 6개이면 □

❹ 1000이 6개, 100이 1개, 10이 4개, 1이 7개이면 □

❺ 1000이 4개, 100이 5개, 10이 8개, 1이 2개이면 □

❻ 1000이 1개, 100이 6개, 10이 7개, 1이 9개이면 □

□ 안에 알맞은 수를 써넣으세요.

❼ 2468
$=\square+400+\square+8$

❽ 5381
$=\square+300+\square+1$

❾ 9162
$=9000+\square+60+\square$

❿ 4395
$=4000+\square+90+\square$

▶정답 및 풀이 6쪽

제한 시간 10분

맞은 개수 / 20개

⑪ $5\underline{4}78$

(　　　　　　　　)

⑫ $\underline{7}643$

(　　　　　　　　)

⑬ $\underline{9}483$

(　　　　　　　　)

⑭ $87\underline{5}3$

(　　　　　　　　)

100씩 뛰어 세어 보세요.

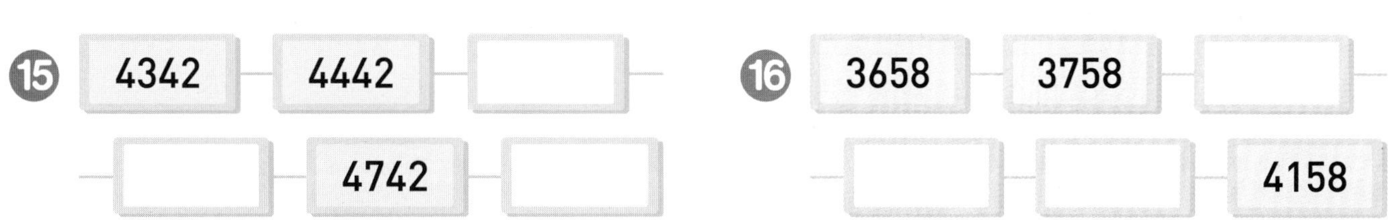

수의 크기를 비교하여 ○ 안에 >, <를 알맞게 써넣으세요.

⑰ 9450 ○ 9816

⑱ 8603 ○ 8063

⑲ 3680 ○ 4286

⑳ 1108 ○ 1095

제한 시간 안에 정확하게
모두 풀었다면 여러분은 진정한 **계산왕!**

창의 · 융합 · 코딩

뻥이요!

누리와 뭉치는 전통시장에 방문하였습니다.

뻥튀기를 만들려고 쌀 4760알과 콩 4706알을 가져왔어.
어느 것을 더 많이 가져 왔을까?

4760 ◯ 4706

6 ◯ 0

답 ____________

▶정답 및 풀이 6쪽

10원짜리 동전의 재발견!

창의 2 누리와 뭉치는 이번 달 용돈으로 맛있는 간식을 사 먹기로 했습니다.

매일 10원씩 올려 받는다면 5일 후에는 용돈으로 얼마를 받게 될까?

1500	1510				
오늘					

답 ____________ 원

특강 창의 · 융합 · 코딩

창의 3 어느 김치박물관의 어린이, 청소년, 어른의 입장료는 각각 얼마인지 알아보세요.

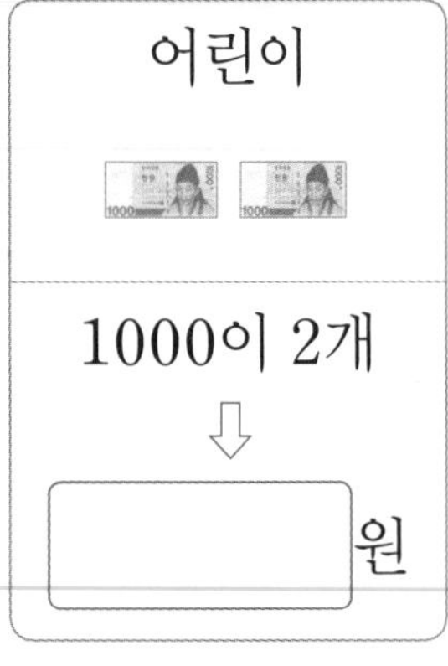

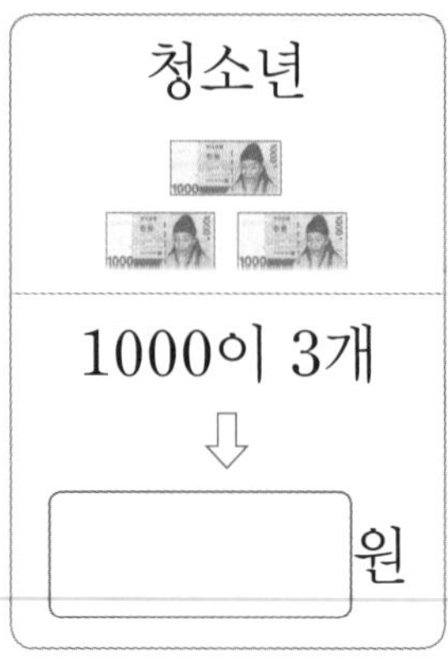

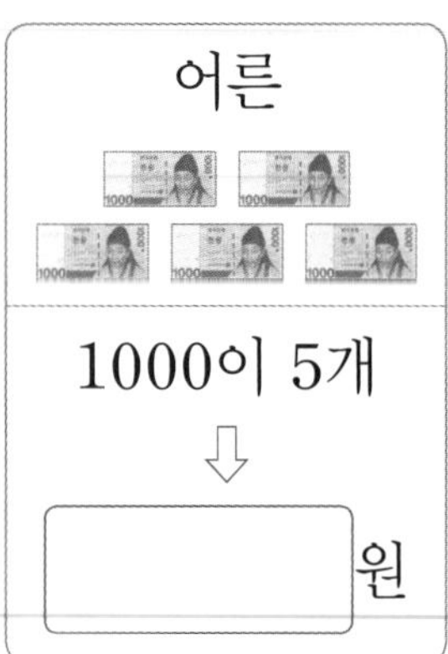

융합 4 유네스코에 등재된 세계유산은 2019년 기준 모두 몇 점인지 수를 읽어 보세요.

유네스코는 보호해야할 문화,
자연을 세계유산으로 지정하여
보호하는 기구예요.

답 ______________________ 점

▶정답 및 풀이 6쪽

창의 5 통닭 한 마리의 값으로 다음과 같이 돈을 냈습니다. 통닭 한 마리의 값은 얼마인지 구하세요.

나를 사려면 1000원짜리 지폐 6장과 100원짜리 동전 9개를 내야 해.

답 ______________ 원

융합 6 6730부터 100씩 커지는 수의 별들을 차례로 선으로 이어 별자리를 완성해 보세요.

6730	7730	6830	6930	6940	7030	7130	8330	7330	7230

북두칠성은 일곱 개의 밝은 별이 국자 모양을 하고 있는 별자리예요.

해외로 유출된 우리나라 문화재는 다음의 세 나라 중 어느 나라에 가장 많은지 구하세요.

(국가별 한국문화재 현황)

캐나다	프랑스	러시아
4276점	5684점	5334점

(2020.04.01기준)

융합 8 김이 한 상자에 10톳씩 들어 있습니다. 8상자에 들어 있는 김은 모두 몇 장일까요?

답 ________ 장

▶정답 및 풀이 6쪽

창의 9 친구들이 해양 쓰레기 줍기 봉사활동에서 주운 플라스틱 제품의 종류입니다. 가장 많이 주운 것은 어느 것인지 구하세요.

컵
1000개씩 **5**상자

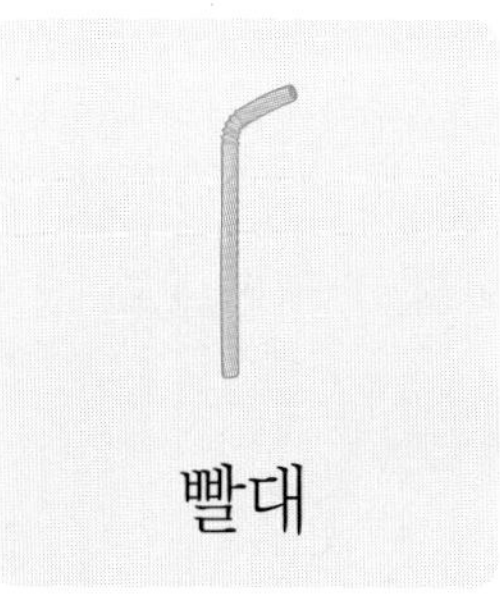
빨대
100개씩 **10**상자

페트병
1000개씩 **2**상자

빨대를 만드는 데 걸리는 시간은 5초인 반면에 썩어 없어지는데는 최소 500년이 걸린다고 해요.

답 ______________

창의 10 어느 공연장의 좌석 배치도입니다. 어느 자리에 앉아야 하는지 좌석번호를 각각 구하세요.

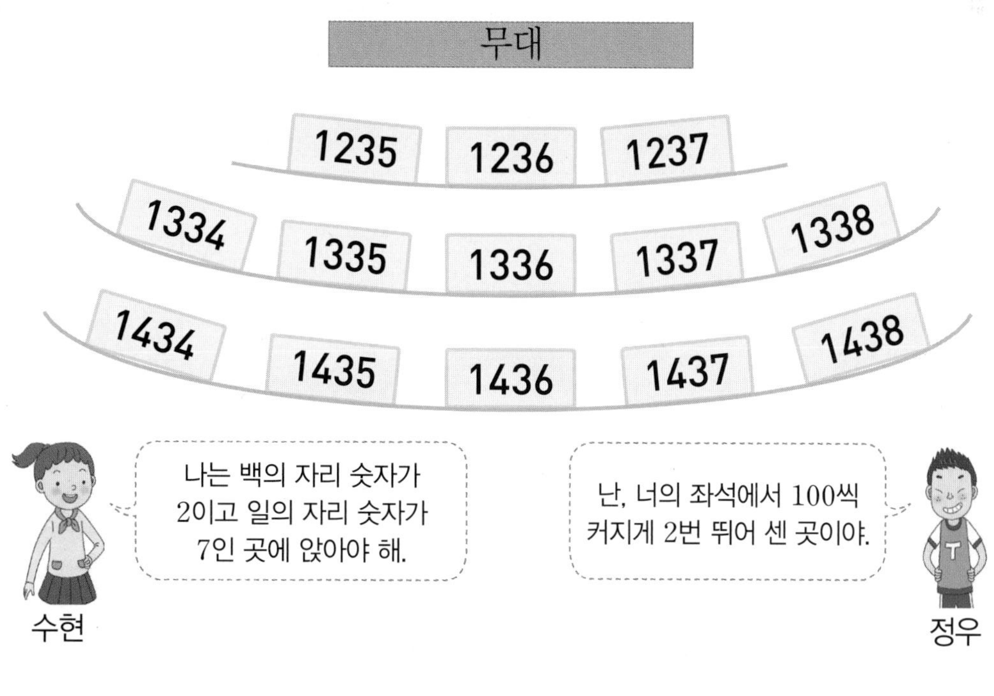

수현: 나는 백의 자리 숫자가 2이고 일의 자리 숫자가 7인 곳에 앉아야 해.

정우: 난, 너의 좌석에서 100씩 커지게 2번 뛰어 센 곳이야.

답 수현: ______________, 정우: ______________

2
주

곱셈구구(1)

난 안다~.

하지만
안 가르쳐 줄 거야!

나 진짜 안다니까.
그래, 알았어.

솔직히
궁금하지?
아니!

정말 안 궁금해?

말해 줄까?
글쎄.

됐어!
야~.

한 번 들어 봐.
2+2+2+2=8을
간단하게 계산하는
방법이 있어.
어떻게?

이히히~,
안 가르쳐 줄 거야~.
첫!

2주에 배울 내용을 알아볼까요? ①

- 1일 2단 곱셈구구
- 2일 3단 곱셈구구
- 3일 4단 곱셈구구
- 4일 5단 곱셈구구
- 5일 6단 곱셈구구

2주에 배울 내용을 알아볼까요? 

2-1 몇 배 알아보기

- 2씩 6묶음은 12입니다.
- 2씩 6묶음은 2의 6배입니다.

아~ 그러니까 2의 6배는 12구나. 2의 6배는 2를 6번 더하면 돼요.

사과의 수는 귤의 수의 몇 배인지 구하세요.

1-1

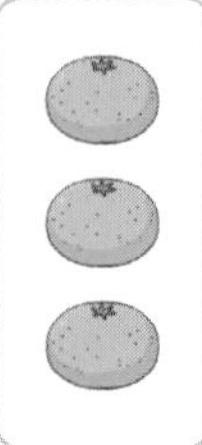

☐배

1-2

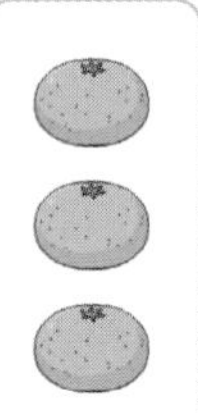

☐배

1-3

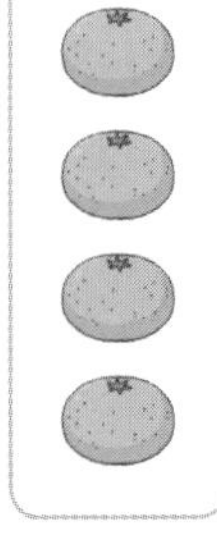

☐배

1-4

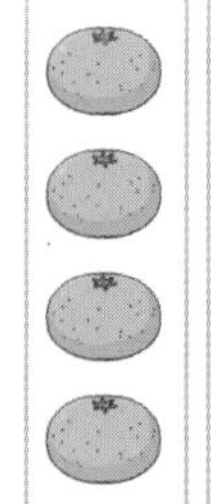

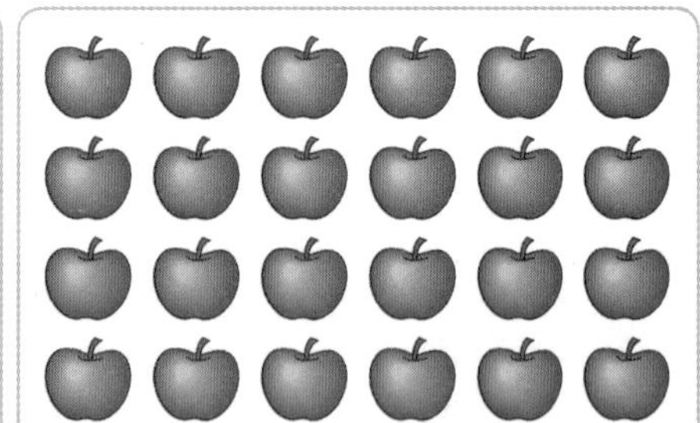

☐배

2-1 곱셈식으로 나타내기

요구르트는 5씩 7묶음이니까
5+5+5+5+5+5+5=35로
쓸 수 있어요.

5씩 7묶음을 곱셈식으로
나타내면 5×7=35입니다.

그림을 보고 덧셈식과 곱셈식으로 나타내어 보세요.

2-1

덧셈식 ______________________

곱셈식 ______________________

2-2

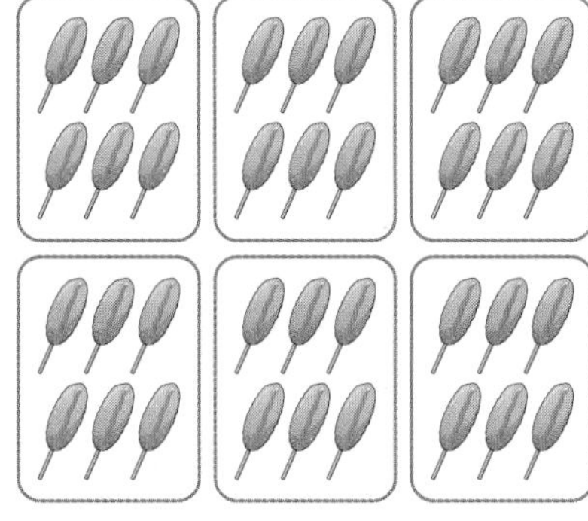

덧셈식 ______________________

곱셈식 ______________________

2단 곱셈구구 ①

똑똑한 하루 계산법

• 그림으로 2단 곱셈구구 알아보기

$2 \times 3 = 6$

2씩 3묶음이므로 $2 \times 3 = 6$입니다.

2씩 3묶음
⇨ $2+2+2=6$
⇨ $2 \times 3 = 6$

○✕ 퀴즈

곱셈식이 바르면 ○에, 틀리면 ✕에 ○표 하세요.

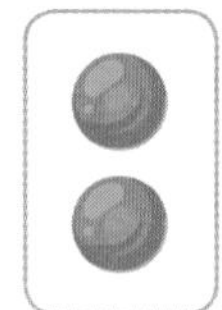 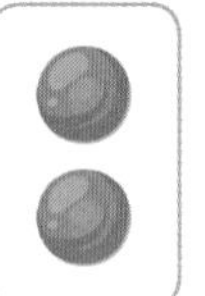 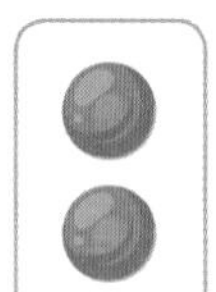

$2 \times 4 = 8$

정답 ✕에 ○표

똑똑한 계산 연습

▶정답 및 풀이 7쪽

제한 시간 3분

그림을 보고 □ 안에 알맞은 수를 써넣으세요.

① $2 \times 1 = \square$

② $2 \times 2 = \square$

③ $2 \times 3 = \square$

④ $2 \times \square = \square$

⑤ $2 \times \square = \square$

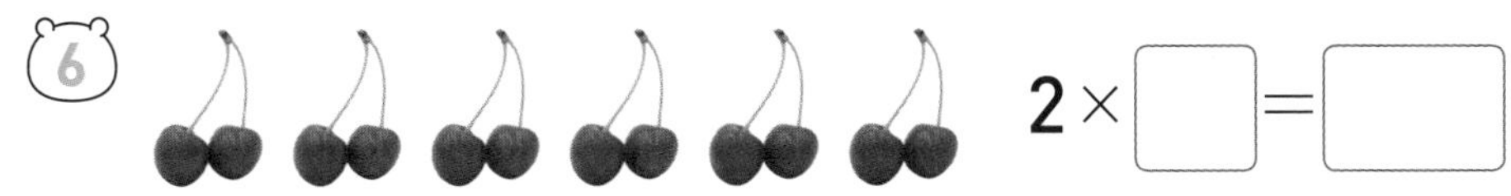

⑥ $2 \times \square = \square$

⑦ $2 \times \square = \square$

⑧ $2 \times \square = \square$

⑨ $2 \times \square = \square$

2주 1일

2단 곱셈구구 ②

똑똑한 하루 계산법

• 2단 곱셈구구

×	1	2	3	4	5	6	7	8	9
2	2	4	6	8	10	12	14	16	18

+2 +2 +2 +2 +2 +2 +2 +2

2단 곱셈구구에서 곱하는 수가 1씩 커지면 곱은 **2씩 커집니다.**

2×2=4, 2×3=6이므로
2×3은 2×2보다 2만큼 더 큽니다.

똑똑한 계산 연습

▶정답 및 풀이 7쪽

제한 시간 5분

□ 안에 알맞은 수를 써넣으세요.

1

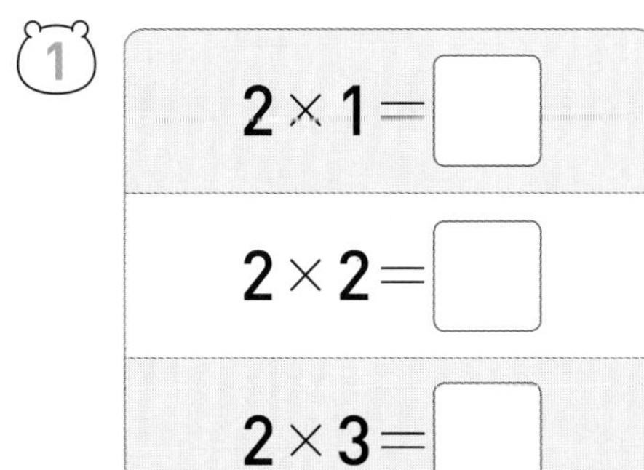

$2 \times 1 = \square$

$2 \times 2 = \square$

$2 \times 3 = \square$

2

$2 \times 5 = \square$

$2 \times 6 = \square$

$2 \times 7 = \square$

3

$2 \times \square = 8$

$2 \times \square = 10$

$2 \times \square = 12$

4

$2 \times \square = 14$

$2 \times \square = 16$

$2 \times \square = 18$

계산해 보세요.

5 $2 \times 4 = \square$

6 $2 \times 8 = \square$

7 $2 \times 5 = \square$

8 $2 \times 6 = \square$

9 $2 \times 7 = \square$

10 $2 \times 9 = \square$

1일 기초 집중 연습

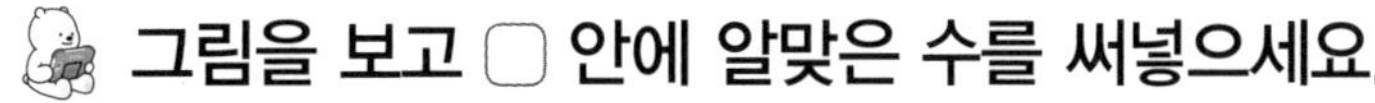

그림을 보고 □ 안에 알맞은 수를 써넣으세요.

1-1 

$2 \times \square = \square$

1-2 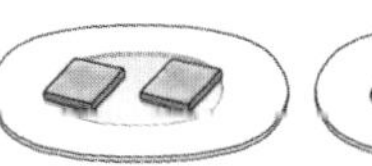  

$2 \times \square = \square$

1-3    

$2 \times \square = \square$

1-4   

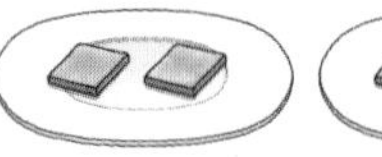 

$2 \times \square = \square$

빈칸에 알맞은 수를 써넣으세요.

2-1

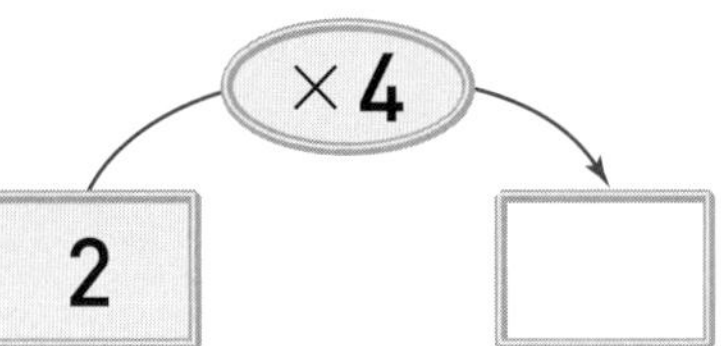

2-2

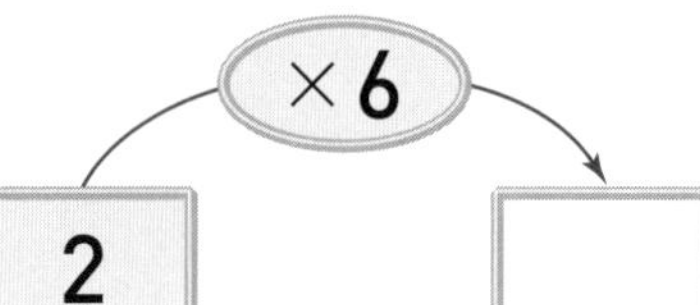

2-3

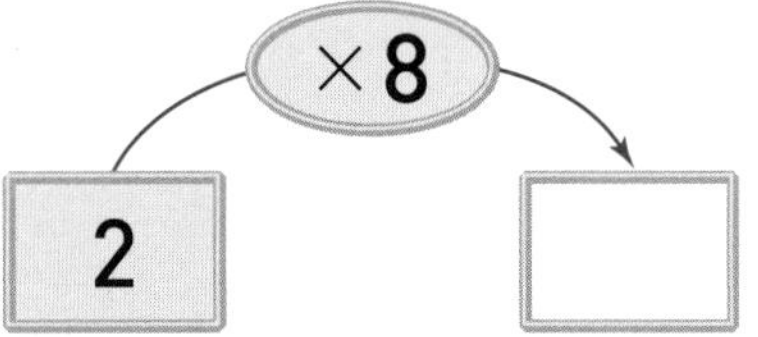

2-4

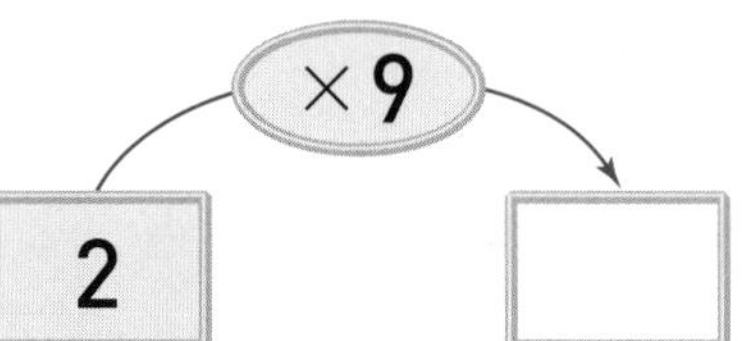

▶정답 및 풀이 7쪽

제한 시간 10분

생활 속 계산

한 대에 2명씩 탈 수 있는 자동차가 있습니다. 자동차에 탈 수 있는 사람은 모두 몇 명인지 구하세요.

3-1

자동차 3대에 탈 수 있는 사람은 모두 몇 명일까요?

$2\times3=\square$(명)

3-2

자동차 4대에 탈 수 있는 사람은 모두 몇 명일까요?

$2\times4=\square$(명)

3-3

자동차 5대에 탈 수 있는 사람은 모두 몇 명일까요?

$2\times5=\square$(명)

3-4

자동차 6대에 탈 수 있는 사람은 모두 몇 명일까요?

$2\times6=\square$(명)

문장 읽고 계산식 세우기

4-1

사탕이 2개씩 5봉지 있을 때 사탕은 모두 몇 개?

식 $\square\times\square=\square$(개)

4-2

사탕이 2개씩 8봉지 있을 때 사탕은 모두 몇 개?

식 $\square\times\square=\square$(개)

4-3

초콜릿이 2개씩 7봉지 있을 때 초콜릿은 모두 몇 개?

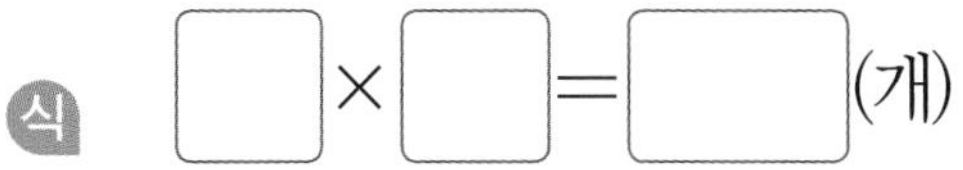

식 $\square\times\square=\square$(개)

4-4

초콜릿이 2개씩 9봉지 있을 때 초콜릿은 모두 몇 개?

식 $\square\times\square=\square$(개)

3단 곱셈구구 ①

똑똑한 하루 계산법

• 그림으로 3단 곱셈구구 알아보기

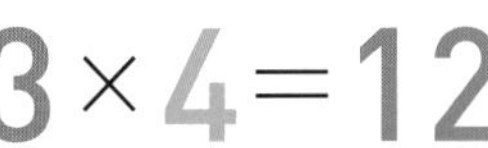

3씩 4묶음이므로 $3 \times 4 = 12$입니다.

3씩 4묶음
⇨ $3+3+3+3=12$
⇨ $3 \times 4 = 12$

OX 퀴즈

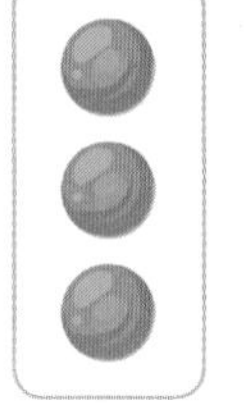 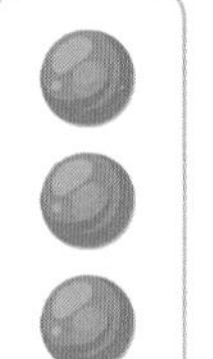 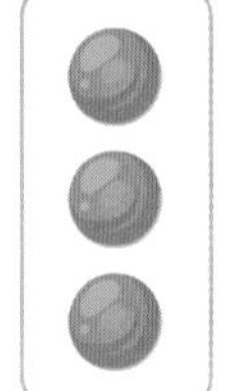

$3 \times 4 = 12$

정답 ✕에 ○표

▶정답 및 풀이 8쪽

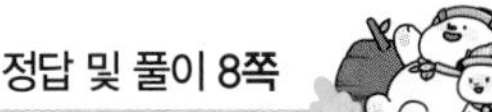

제한 시간 3분

그림을 보고 ▢ 안에 알맞은 수를 써넣으세요.

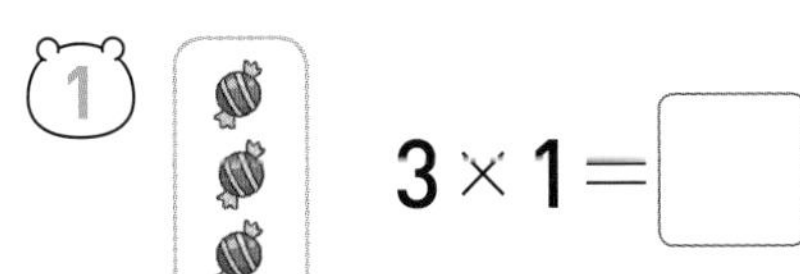

1 $3 \times 1 = \square$

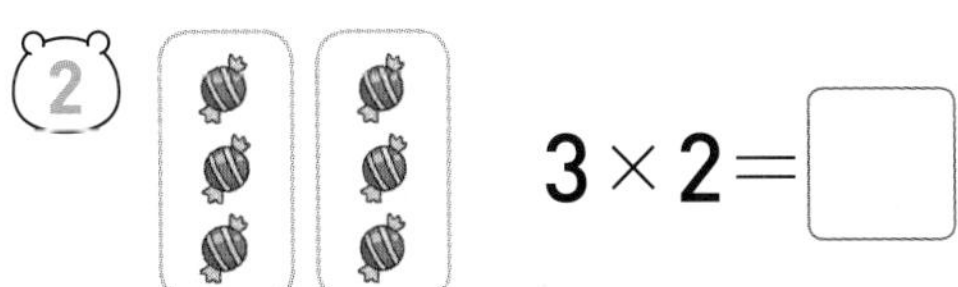

2 $3 \times 2 = \square$

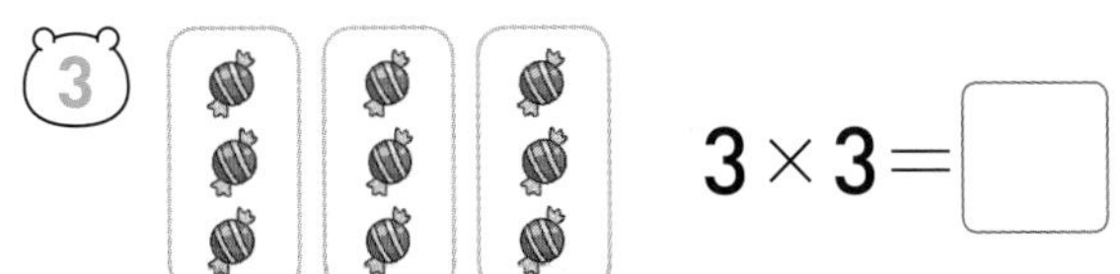

3 $3 \times 3 = \square$

4 $3 \times \square = \square$

5 $3 \times \square = \square$

6 $3 \times \square = \square$

7 $3 \times \square = \square$

8 $3 \times \square = \square$

9 $3 \times \square = \square$

3개씩 ■묶음은
3단 곱셈구구로 알 수 있어요.
3개씩 ■묶음 ⇨ 3×■

2주 2일

3단 곱셈구구 ②

똑똑한 하루 계산법

• 3단 곱셈구구

×	1	2	3	4	5	6	7	8	9
3	3	6	9	12	15	18	21	24	27

+3 +3 +3 +3 +3 +3 +3 +3

3단 곱셈구구에서 곱하는 수가 1씩 커지면 곱은 **3씩 커집니다.**

3×3=9, 3×4=12이므로
3×4는 3×3보다 3만큼 더 큽니다.

똑똑한 계산 연습

▶정답 및 풀이 8쪽

제한 시간 5분

□ 안에 알맞은 수를 써넣으세요.

1
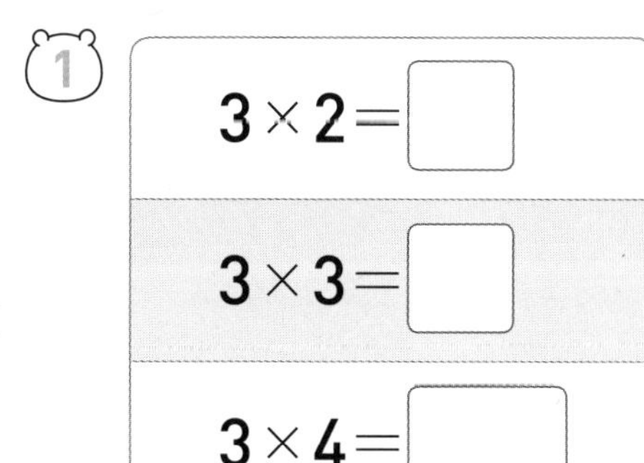

$3 \times 2 = \square$

$3 \times 3 = \square$

$3 \times 4 = \square$

2

$3 \times 6 = \square$

$3 \times 7 = \square$

$3 \times 8 = \square$

3

$3 \times \square = 12$

$3 \times \square = 15$

$3 \times \square = 18$

4
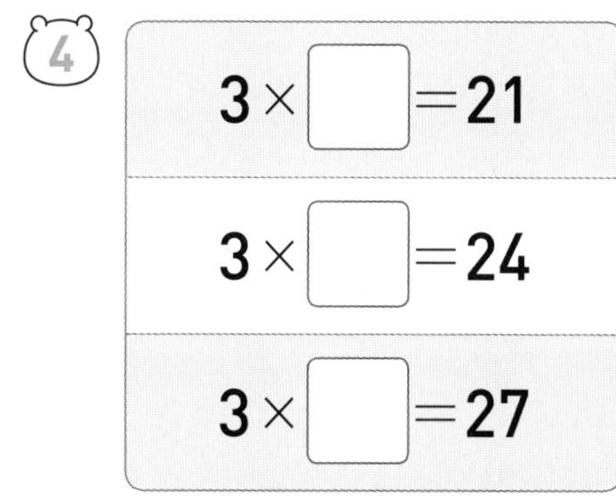

$3 \times \square = 21$

$3 \times \square = 24$

$3 \times \square = 27$

계산해 보세요.

5 $3 \times 2 = \square$

6 $3 \times 4 = \square$

7 $3 \times 7 = \square$

8 $3 \times 6 = \square$

9 $3 \times 5 = \square$

10 $3 \times 8 = \square$

2일 기초 집중 연습

그림을 보고 ☐ 안에 알맞은 수를 써넣으세요.

1-1

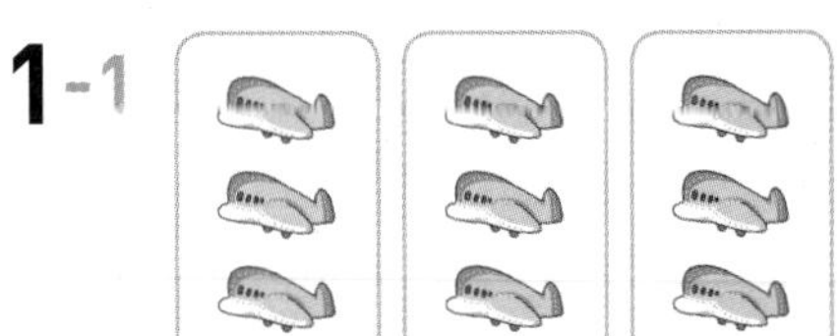

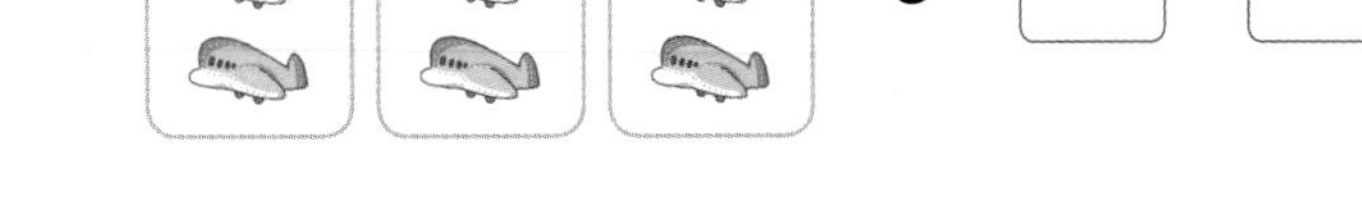

3 × ☐ = ☐

1-2

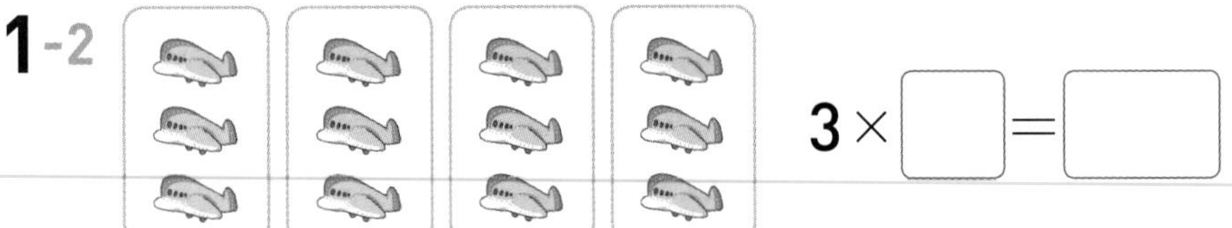

3 × ☐ = ☐

1-3

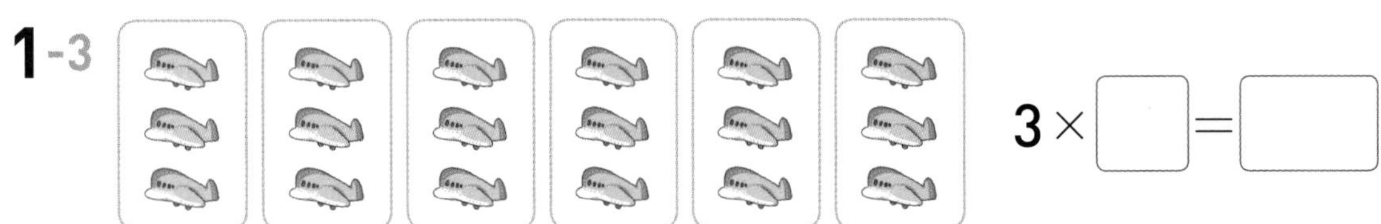

3 × ☐ = ☐

빈칸에 알맞은 수를 써넣으세요.

2-1

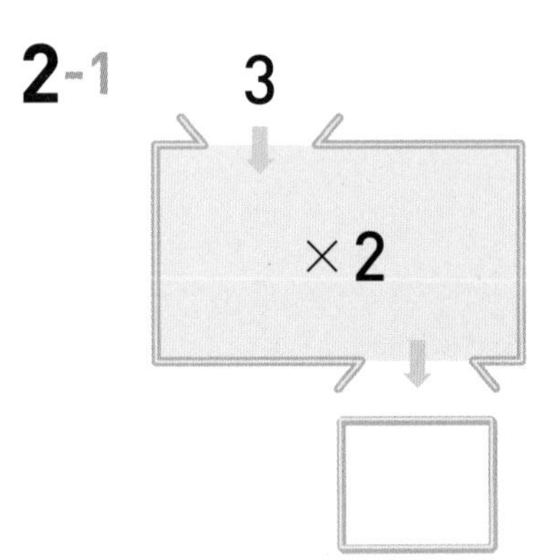

2-2

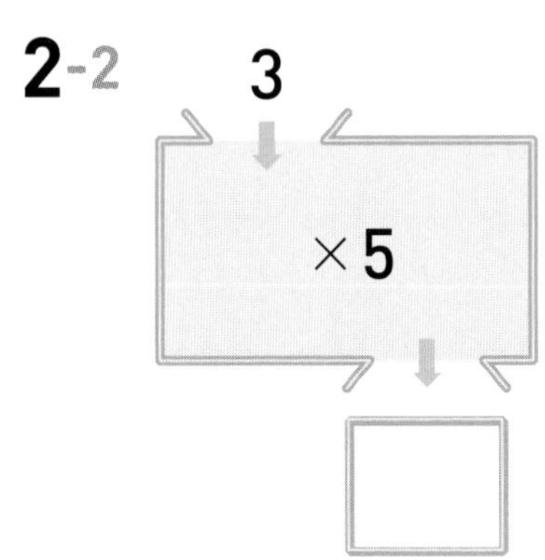

2-3

3

×8

☐

2-4

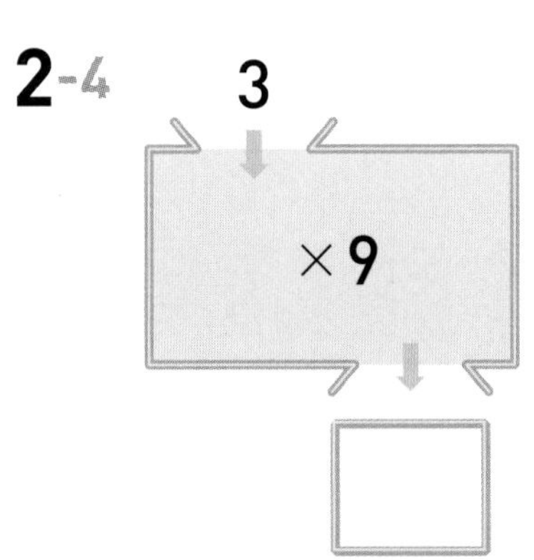

제한 시간 10분

생활 속 계산

밤송이 1개에 밤이 3개씩 들어 있습니다. 밤은 모두 몇 개인지 구하세요.

3-1

밤송이 3개에 들어 있는 밤은 모두 몇 개?

3 × □ — □(개)

3-2

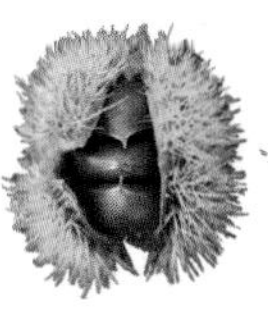

밤송이 5개에 들어 있는 밤은 모두 몇 개?

3 × □ = □(개)

3-3

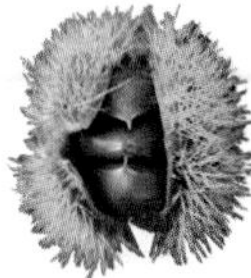

밤송이 7개에 들어 있는 밤은 모두 몇 개?

3 × □ = □(개)

3-4

밤송이 9개에 들어 있는 밤은 모두 몇 개?

3 × □ = □(개)

문장 읽고 계산식 세우기

4-1 자두가 한 줄에 3개씩 2줄 있으면 자두는 모두 몇 개?

식 □ × □ = □(개)

4-2 자두가 한 줄에 3개씩 4줄 있으면 자두는 모두 몇 개?

식 □ × □ = □(개)

4-3 홍시가 한 줄에 3개씩 6줄 있으면 홍시는 모두 몇 개?

식 □ × □ = □(개)

4-4 홍시가 한 줄에 3개씩 8줄 있으면 홍시는 모두 몇 개?

식 □ × □ = □(개)

4단 곱셈구구 ①

똑똑한 하루 계산법

• 그림으로 4단 곱셈구구 알아보기

$$4 \times 3 = 12$$

4씩 3묶음이므로 4×3=12입니다.

4씩 3묶음
⇨ 4+4+4=12
⇨ 4×3=12

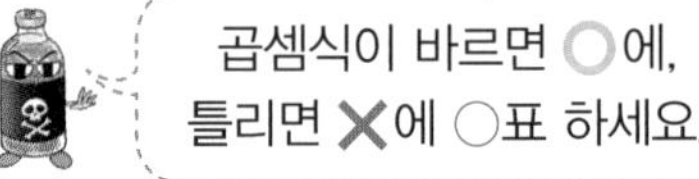

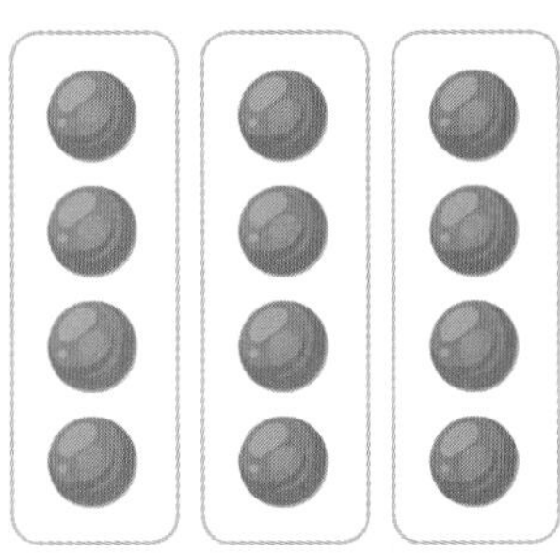

4×3=12

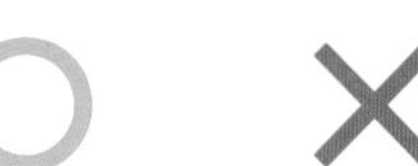

정답 ○에 ○표

똑똑한 계산 연습

▶정답 및 풀이 9쪽

제한 시간 | 3분

그림을 보고 ▢ 안에 알맞은 수를 써넣으세요.

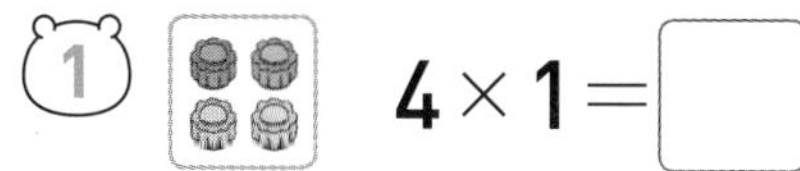

1 $4 \times 1 = \square$

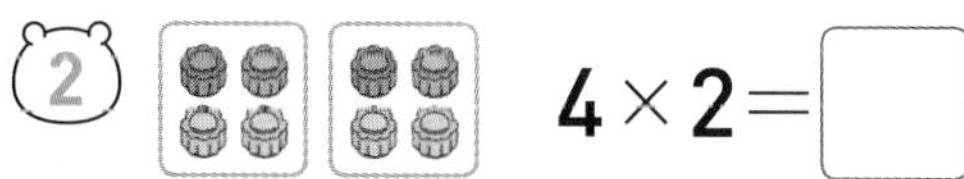

2 $4 \times 2 = \square$

3 $4 \times 3 = \square$

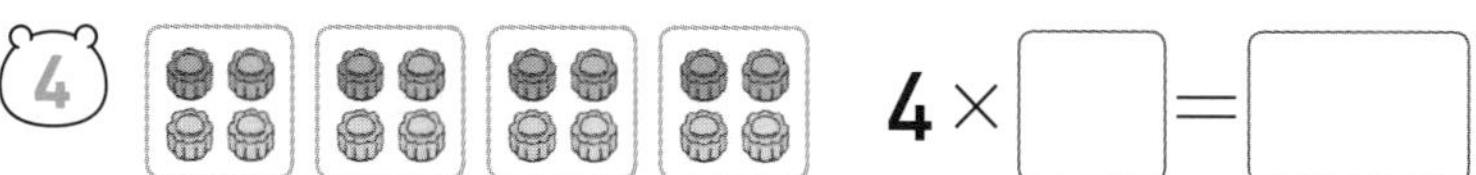

4 $4 \times \square = \square$

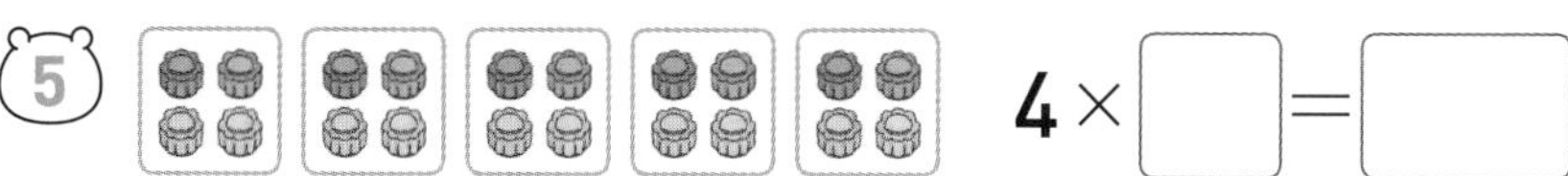

5 $4 \times \square = \square$

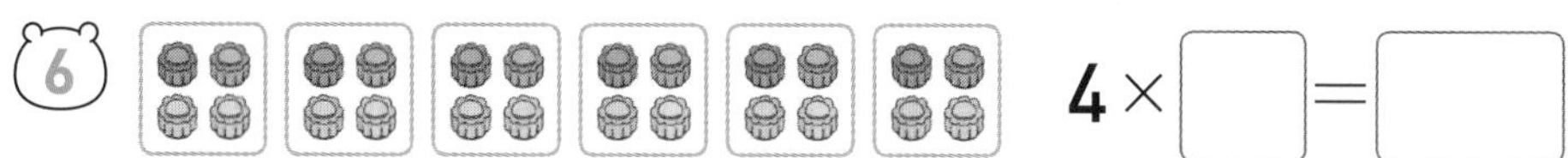

6 $4 \times \square = \square$

7 $4 \times \square = \square$

8 $4 \times \square = \square$

9 $4 \times \square = \square$

2주 3일

3일 4단 곱셈구구 ②

똑똑한 하루 계산법

• 4단 곱셈구구

×	1	2	3	4	5	6	7	8	9
4	4	8	12	16	20	24	28	32	36

+4 +4 +4 +4 +4 +4 +4 +4

4단 곱셈구구에서 곱하는 수가 1씩 커지면 곱은 **4씩 커집니다.**

4×2=8, 4×3=12이므로
4×3은 4×2보다 4만큼 더 큽니다.

똑똑한 계산 연습

▶정답 및 풀이 9쪽

제한 시간 5분

□ 안에 알맞은 수를 써넣으세요.

①

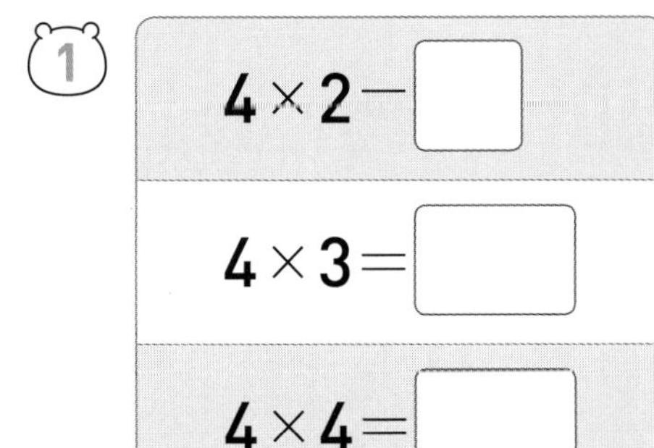

$4\times2-\square$

$4\times3=\square$

$4\times4=\square$

②

$4\times5=\square$

$4\times6=\square$

$4\times7=\square$

③

$4\times\square=4$

$4\times\square=8$

$4\times\square=12$

④

$4\times\square=28$

$4\times\square=32$

$4\times\square=36$

계산해 보세요.

⑤ $4\times4=\square$

⑥ $4\times8=\square$

⑦ $4\times9=\square$

⑧ $4\times3=\square$

⑨ $4\times5=\square$

⑩ $4\times7=\square$

3일 기초 집중 연습

그림을 보고 ▢ 안에 알맞은 수를 써넣으세요.

1-1

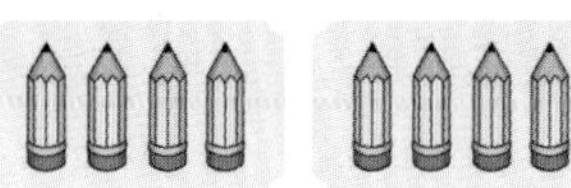

4 × ▢ = ▢

1-2

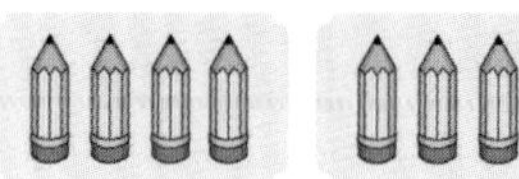

4 × ▢ = ▢

1-3

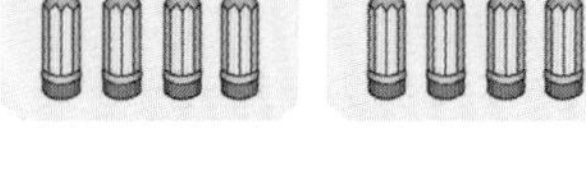

4 × ▢ = ▢

1-4

4 × ▢ = ▢

빈칸에 알맞은 수를 써넣으세요.

2-1

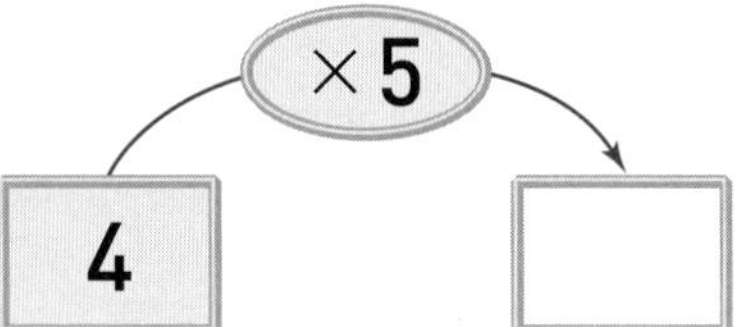

2-2

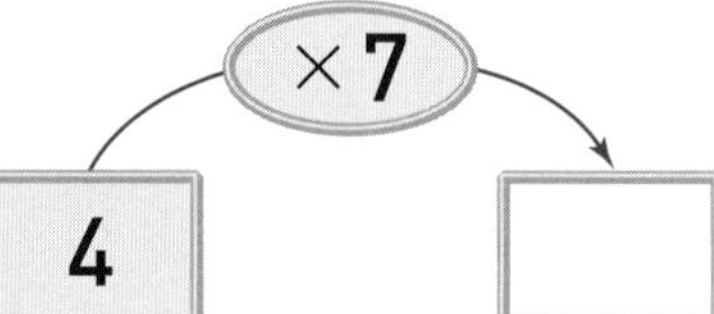

2-3

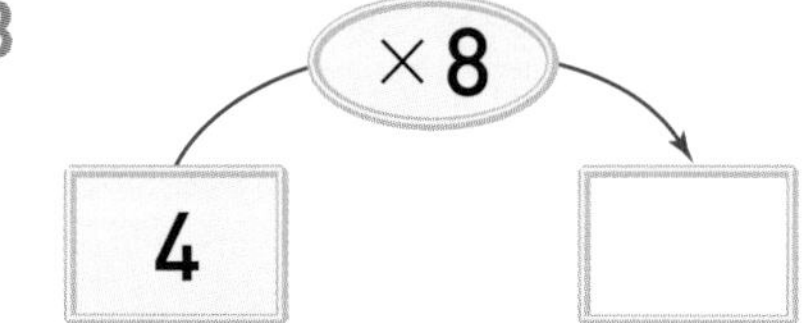

2-4

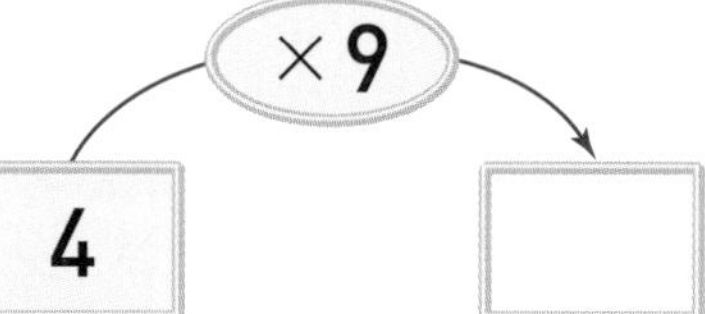

제한 시간 10분

생활 속 계산

한 접시에 과자가 4개씩 있습니다. 과자가 담긴 접시 수가 주어졌을 때 과자는 모두 몇 개인지 구하세요.

3-1

4접시가 있어요.

4 × □ = □(개)

3-2

5접시가 있어요.

4 × □ = □(개)

3-3

6접시가 있어요.

4 × □ = □(개)

3-4

9접시가 있어요.

4 × □ = □(개)

문장 읽고 계산식 세우기

4-1 칫솔이 한 묶음에 4개씩 2묶음 있을 때 칫솔은 모두 몇 개?

식 □ × □ = □(개)

4-2 칫솔이 한 묶음에 4개씩 3묶음 있을 때 칫솔은 모두 몇 개?

식 □ × □ = □(개)

4-3 비누가 한 묶음에 4개씩 7묶음 있을 때 비누는 모두 몇 개?

식 □ × □ = □(개)

4-4 비누가 한 묶음에 4개씩 8묶음 있을 때 비누는 모두 몇 개?

식 □ × □ = □(개)

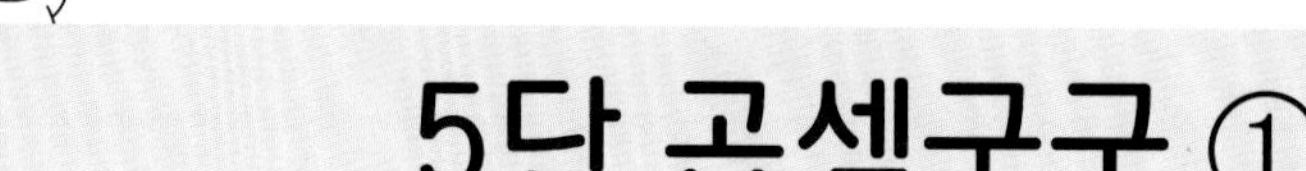

5단 곱셈구구 ①

똑똑한 하루 계산법

• 그림으로 5단 곱셈구구 알아보기

$$5 \times 2 = 10$$

5씩 2묶음이므로 $5 \times 2 = 10$입니다.

5씩 2묶음
⇨ $5+5=10$
⇨ $5 \times 2=10$

○✕ 퀴즈

곱셈식이 바르면 ○에, 틀리면 ✕에 ○표 하세요.

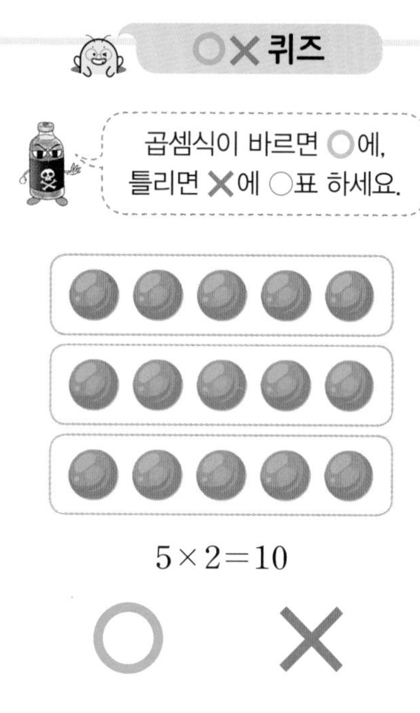

$5 \times 2 = 10$

○ ✕

정답 ✕에 ○표

똑똑한 계산 연습

▶정답 및 풀이 10쪽

제한 시간 | 3분

그림을 보고 ☐ 안에 알맞은 수를 써넣으세요.

5개씩 ●묶음은
5단 곱셈구구로 알 수 있어요.
5개씩 ●묶음 ⇨ 5×●

1 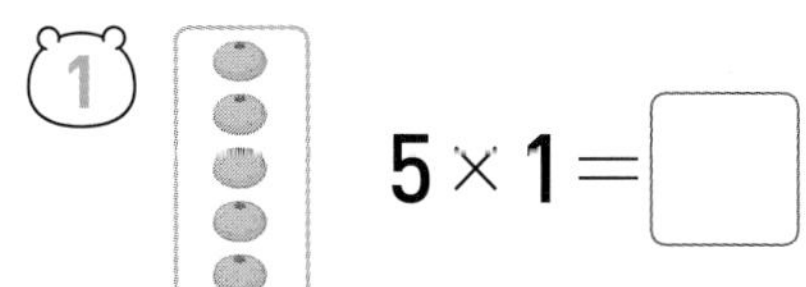

$5 \times 1 = \square$

2 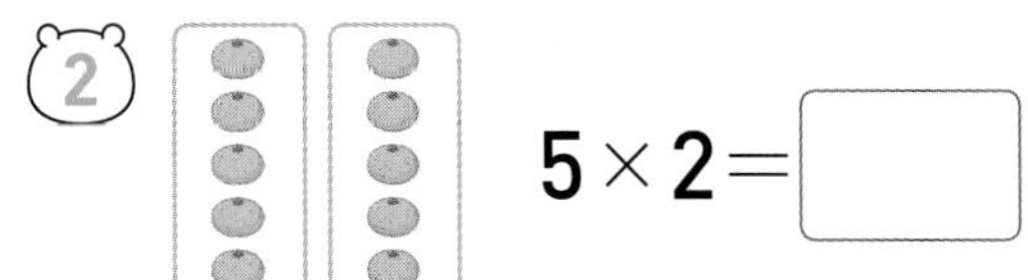

$5 \times 2 = \square$

3 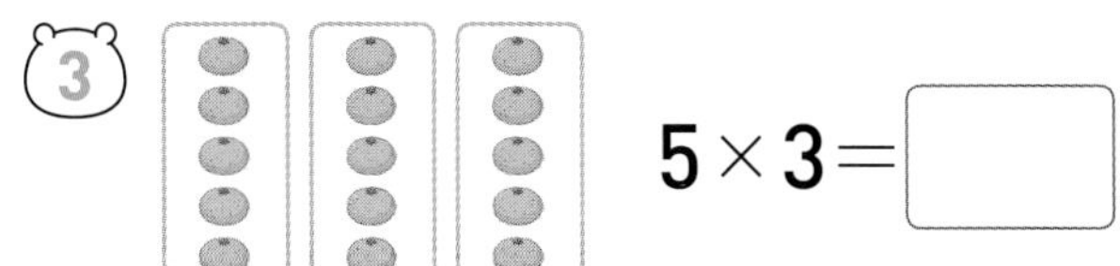

$5 \times 3 = \square$

4 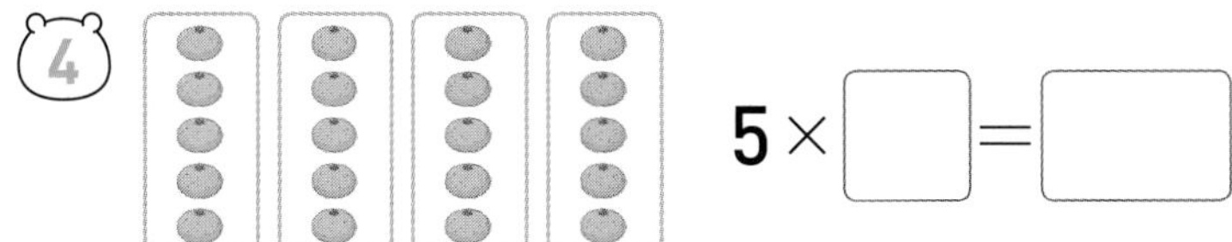

$5 \times \square = \square$

5 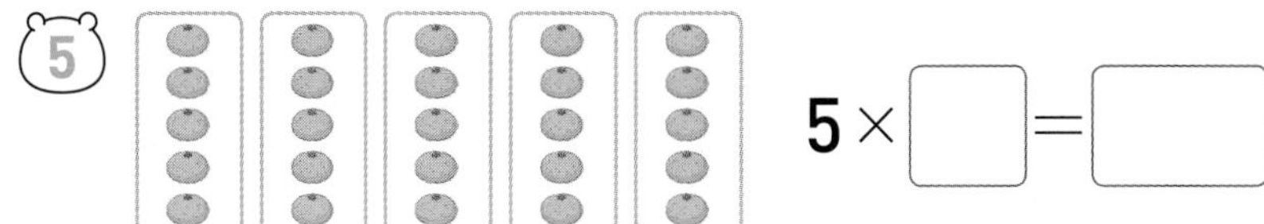

$5 \times \square = \square$

6 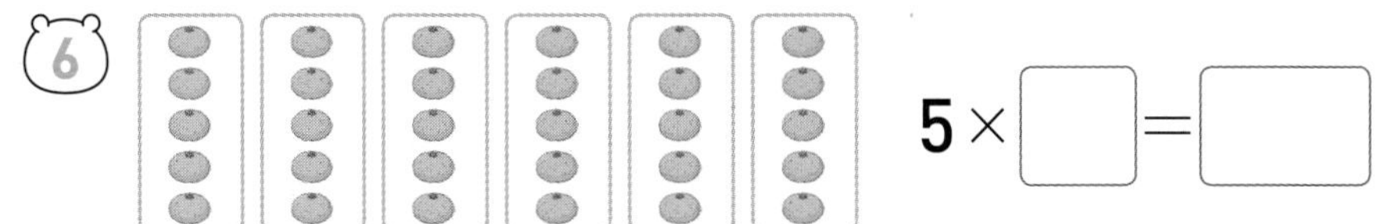

$5 \times \square = \square$

7 $5 \times \square = \square$

8 $5 \times \square = \square$

9 $5 \times \square = \square$

2주 4일

5단 곱셈구구 ②

똑똑한 하루 계산법

• 5단 곱셈구구

×	1	2	3	4	5	6	7	8	9
5	5	10	15	20	25	30	35	40	45

+5 +5 +5 +5 +5 +5 +5 +5

5단 곱셈구구에서 곱하는 수가 1씩 커지면 곱은 **5씩 커집니다.**

$5\times1=5$, $5\times2=10$이므로
5×2는 5×1보다 5만큼 더 큽니다.

똑똑한 계산 연습

▶정답 및 풀이 10쪽

제한 시간 5분

□ 안에 알맞은 수를 써넣으세요.

1

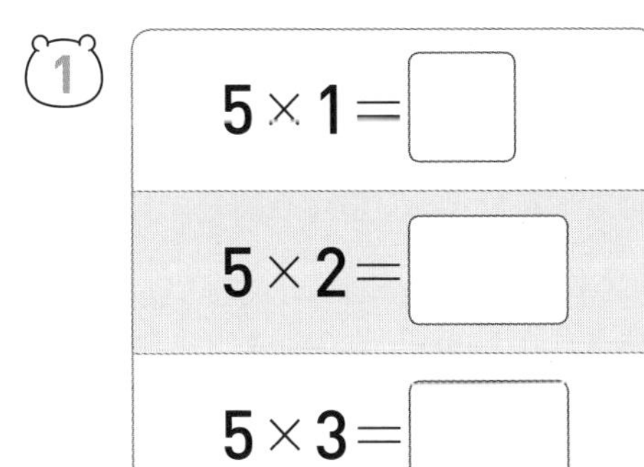

5 × 1 = □

5 × 2 = □

5 × 3 = □

2

5 × 7 = □

5 × 8 = □

5 × 9 = □

3

5 × □ = 15

5 × □ = 20

5 × □ = 25

4

5 × □ = 30

5 × □ = 35

5 × □ = 40

계산해 보세요.

5 5 × 6 = □

6 5 × 4 = □

7 5 × 2 = □

8 5 × 7 = □

9 5 × 9 = □

10 5 × 3 = □

4일 기초 집중 연습

그림을 보고 ☐ 안에 알맞은 수를 써넣으세요.

1-1

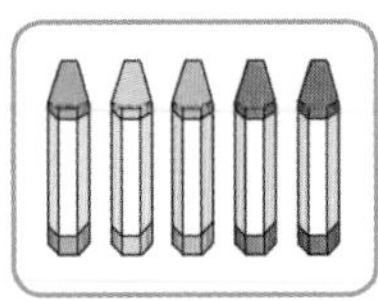

$5 \times$ ☐ $=$ ☐

1-2

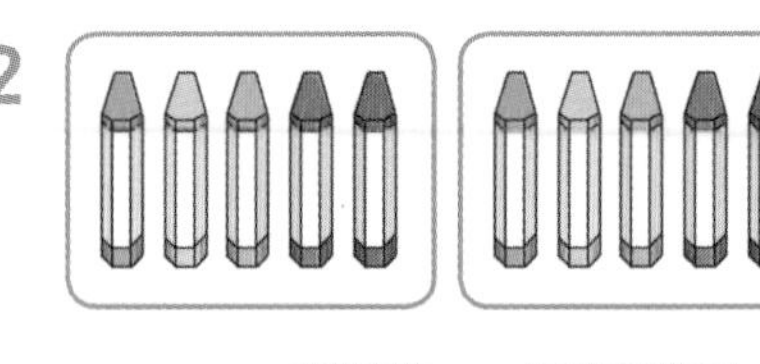

$5 \times$ ☐ $=$ ☐

1-3

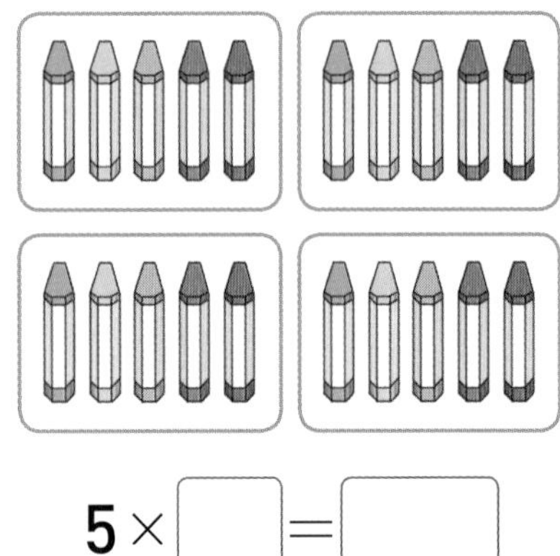

$5 \times$ ☐ $=$ ☐

1-4

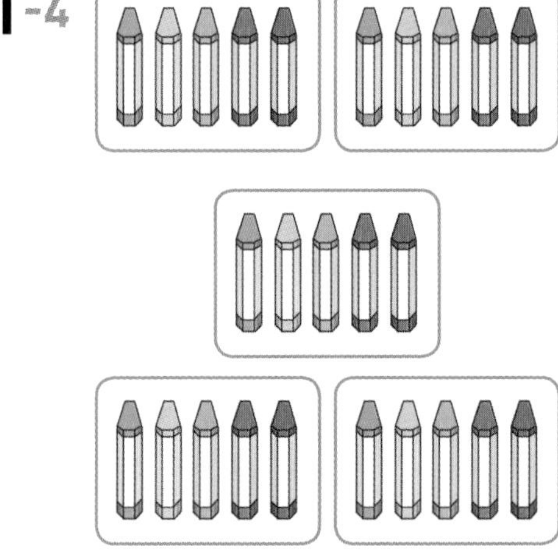

$5 \times$ ☐ $=$ ☐

빈칸에 알맞은 수를 써넣으세요.

2-1

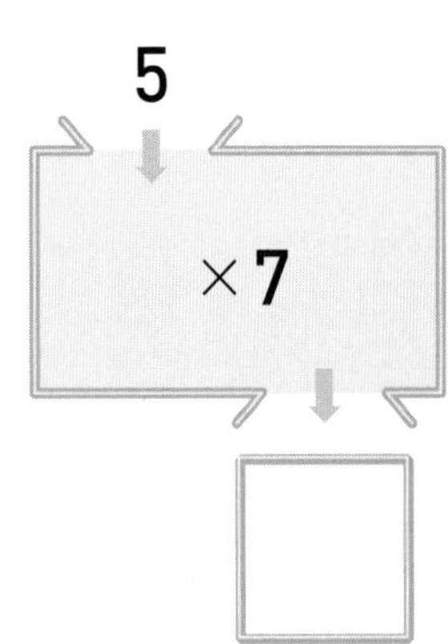

2-2

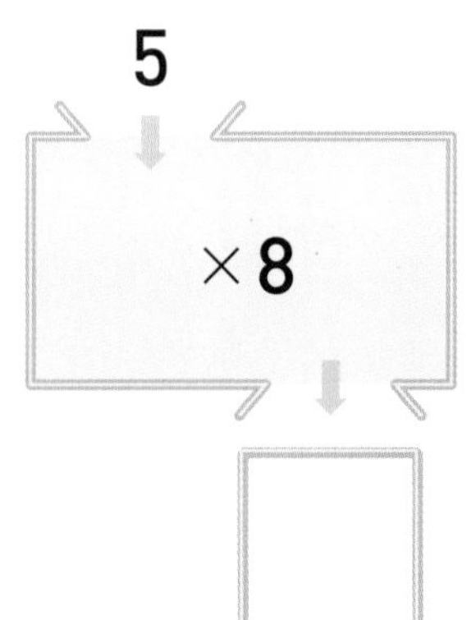

제한 시간 10분

생활 속 계산

한 접시에 빵 5조각이 담겨 있습니다. 어린이들이 말하는 접시 수만큼 있다면 빵은 모두 몇 개인지 구하세요.

3-1 7접시가 있어요. □개

3-2

□개

3-3

□개

문장 읽고 계산식 세우기

4-1 어항 한 개에 물고기가 5마리씩 있다면 어항 2개에 있는 물고기는 모두 몇 마리?

식 □ × □ = □(마리)

4-2 어항 한 개에 물고기가 5마리씩 있다면 어항 4개에 있는 물고기는 모두 몇 마리?

식 □ × □ = □(마리)

4-3 수족관 한 개에 거북이 5마리씩 있습니다. 수족관 9개에 있는 거북은 모두 몇 마리?

식 □ × □ = □(마리)

4-4 수족관 한 개에 거북이 5마리씩 있습니다. 수족관 6개에 있는 거북은 모두 몇 마리?

식 □ × □ = □(마리)

5일 6단 곱셈구구 ①

똑똑한 하루 계산법

• **그림으로 6단 곱셈구구 알아보기**

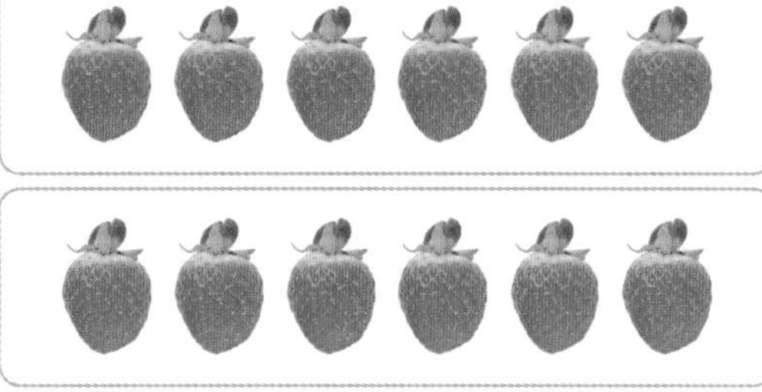

$6 \times 2 = 12$

6씩 2묶음이므로 $6 \times 2 = 12$입니다.

6씩 2묶음
⇨ $6+6=12$
⇨ $6 \times 2=12$

OX 퀴즈

곱셈식이 바르면 ○에, 틀리면 ✕에 ○표 하세요.

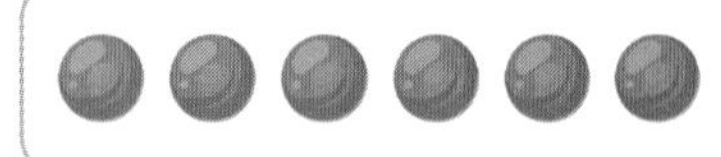
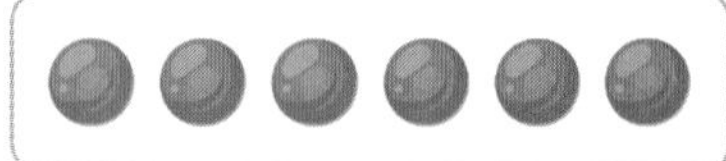

$6 \times 6 = 12$

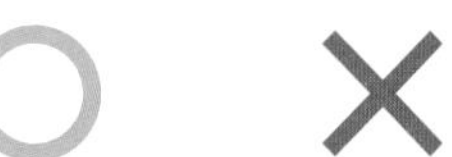

정답 ✕에 ○표

▶정답 및 풀이 11쪽

똑똑한 계산 연습

제한 시간 3분

그림을 보고 ▢ 안에 알맞은 수를 써넣으세요.

6개씩 ■묶음은
6단 곱셈구구로 알 수 있어요.
6개씩 ■묶음 ⇨ 6×■

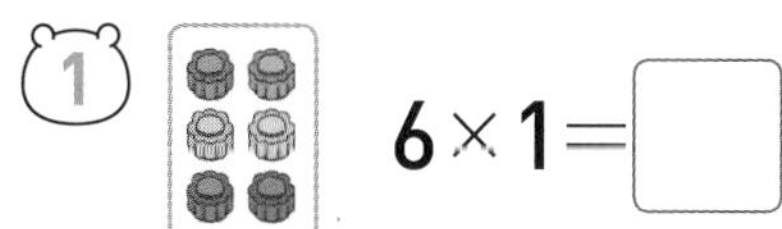

1 $6\times1=\square$

2 $6\times2=\square$

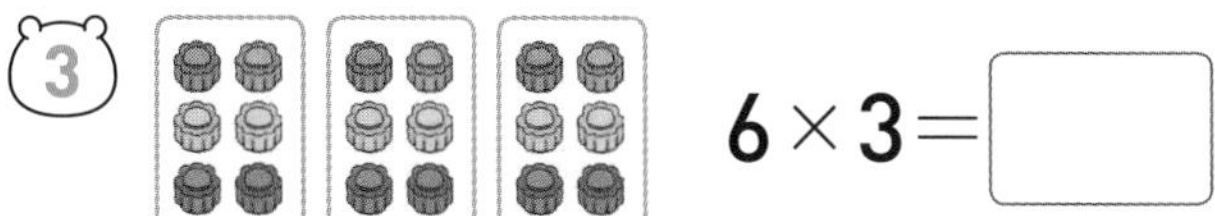

3 $6\times3=\square$

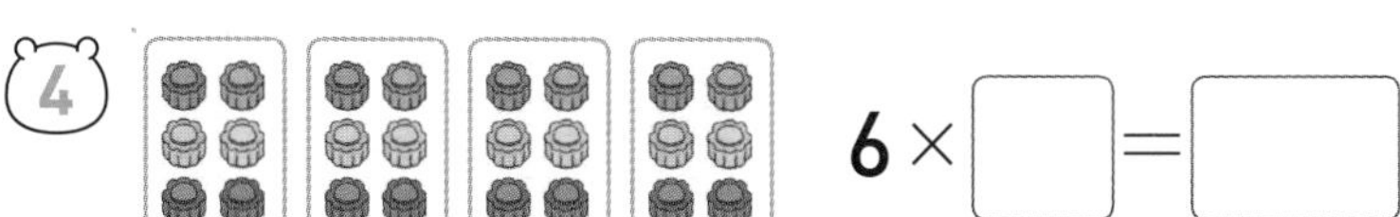

4 $6\times\square=\square$

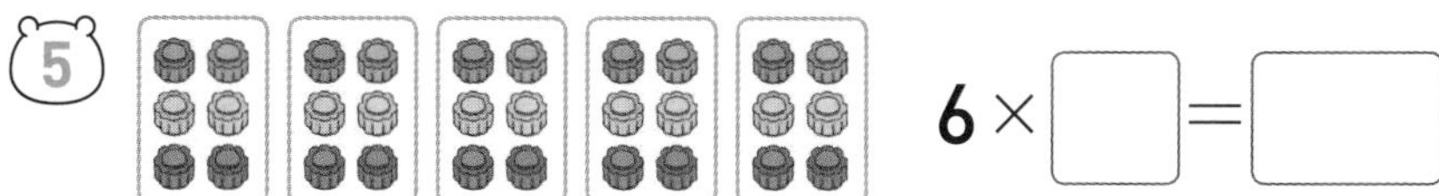

5 $6\times\square=\square$

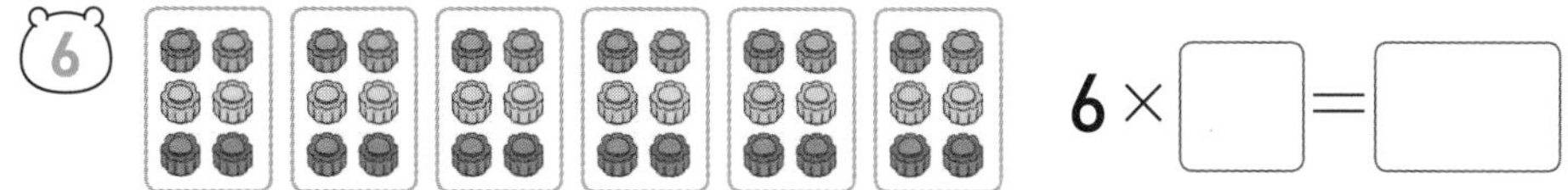

6 $6\times\square=\square$

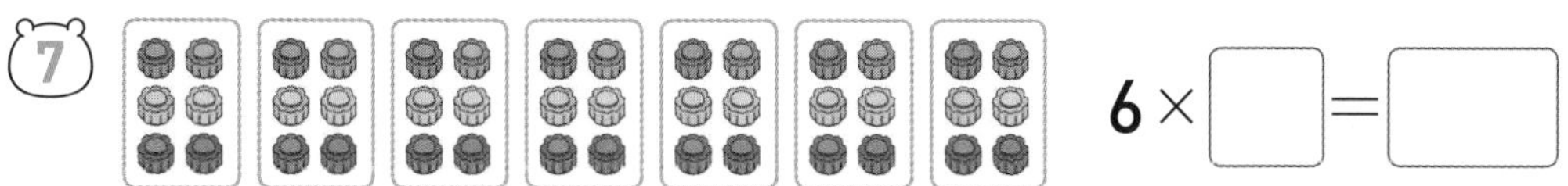

7 $6\times\square=\square$

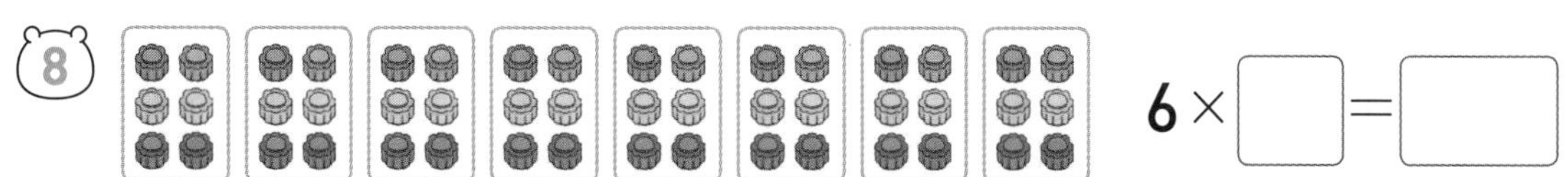

8 $6\times\square=\square$

9 $6\times\square=\square$

2주 5일

6단 곱셈구구 ②

6×1=6
6×2=12
6×3=18
6×4=24
⋮

+6 +6 +6

똑똑한 하루 계산법

• 6단 곱셈구구

×	1	2	3	4	5	6	7	8	9
6	6	12	18	24	30	36	42	48	54

+6 +6 +6 +6 +6 +6 +6 +6

6단 곱셈구구에서 곱하는 수가 1씩 커지면 곱은 **6씩 커집니다.**

6×1=6, 6×2=12이므로
6×2는 6×1보다 6만큼 더 큽니다.

똑똑한 계산 연습

제한 시간 5분

□ 안에 알맞은 수를 써넣으세요.

①
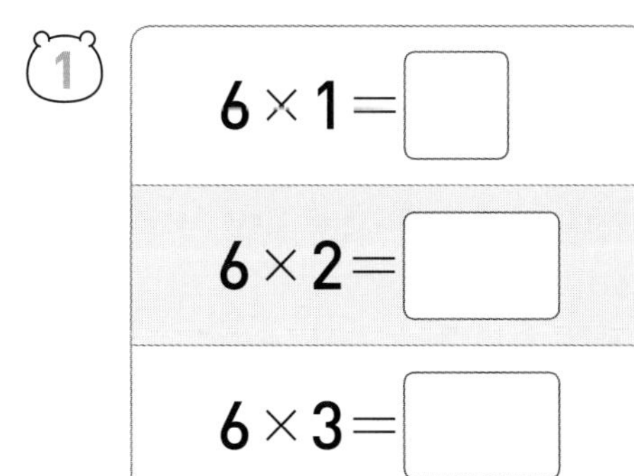

$6 \times 1 = \square$

$6 \times 2 = \square$

$6 \times 3 = \square$

②

$6 \times 4 = \square$

$6 \times 5 = \square$

$6 \times 6 = \square$

③

$6 \times \square = 18$

$6 \times \square = 24$

$6 \times \square = 30$

④

$6 \times \square = 36$

$6 \times \square = 42$

$6 \times \square = 48$

계산해 보세요.

⑤ $6 \times 4 = \square$

⑥ $6 \times 8 = \square$

⑦ $6 \times 6 = \square$

⑧ $6 \times 7 = \square$

⑨ $6 \times 9 = \square$

⑩ $6 \times 5 = \square$

5일 기초 집중 연습

그림을 보고 ▢ 안에 알맞은 수를 써넣으세요.

1-1

6 × ▢ = ▢

1-2

6 × ▢ = ▢

빈칸에 알맞은 수를 써넣으세요.

2-1

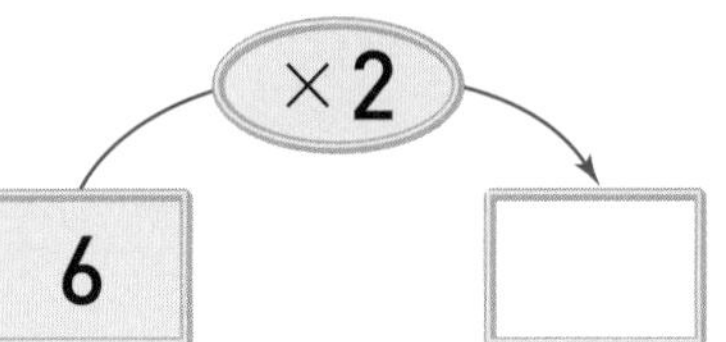

2-2

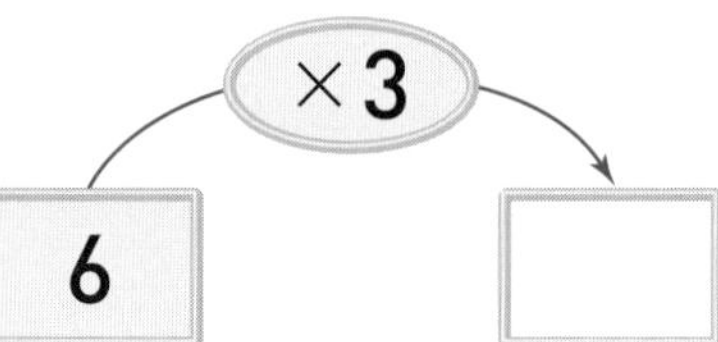

2-3

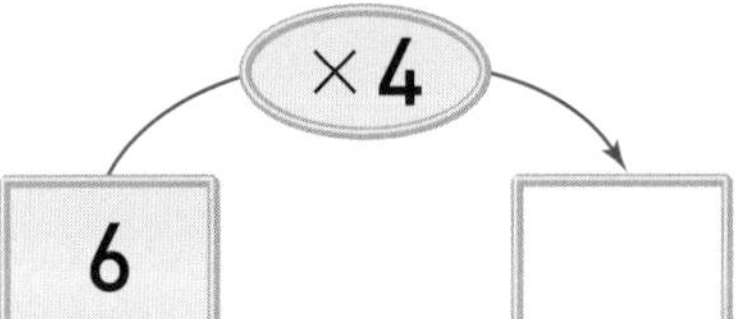

2-4

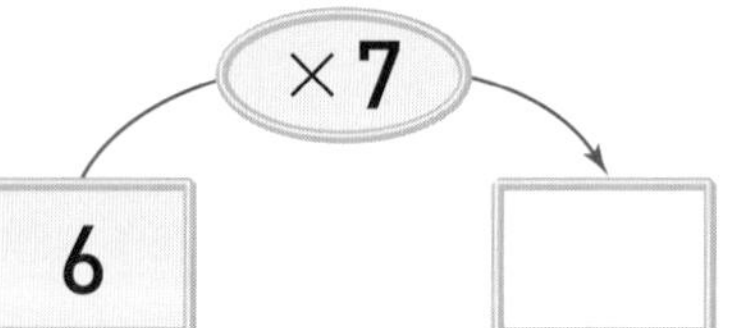

2-5

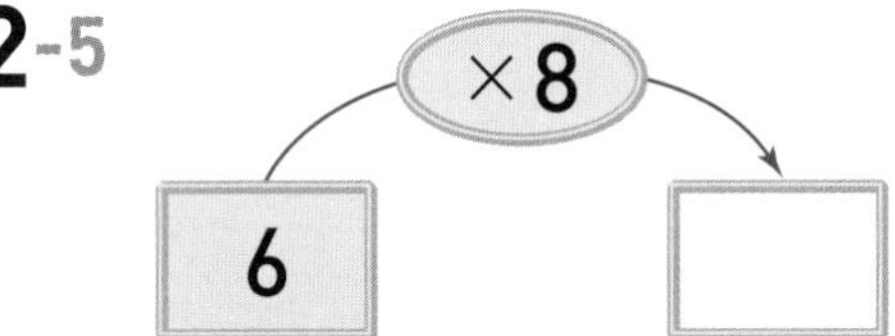

2-6

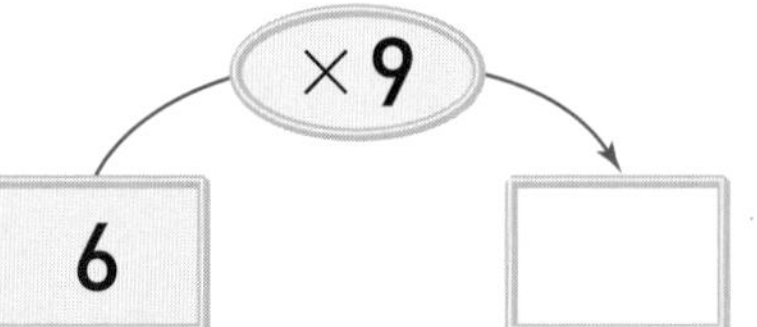

제한 시간 10분

생활 속 계산

마카롱이 한 통에 6개씩 담겨 있습니다. 판매한 마카롱은 모두 몇 개인지 구하세요.

3-1 
오늘 판매한 마카롱은 3통이에요.

☐개

3-2  
오늘 판매한 마카롱은 7통이에요.

☐개

3-3 
오늘 판매한 마카롱은 8통이에요.

☐개

3-4 
오늘 판매한 마카롱은 9통이에요.

☐개

문장 읽고 계산식 세우기

4-1 육각형 4개의 변은 모두 몇 개?

식 ☐×☐=☐(개)

4-2 육각형 2개의 변은 모두 몇 개?

식 ☐×☐=☐(개)

4-3 육각형 5개의 꼭짓점은 모두 몇 개?

식 ☐×☐=☐(개)

4-4 육각형 6개의 꼭짓점은 모두 몇 개?

식 ☐×☐=☐(개)

2주 5일

누구나 100점 맞는 TEST

계산해 보세요.

① $2 \times 4 = \square$

② $2 \times 6 = \square$

③ $3 \times 4 = \square$

④ $3 \times 5 = \square$

⑤ $4 \times 6 = \square$

⑥ $4 \times 8 = \square$

⑦ $5 \times 4 = \square$

⑧ $5 \times 6 = \square$

⑨ $6 \times 5 = \square$

⑩ $6 \times 7 = \square$

▶정답 및 풀이 12쪽

제한 시간 10분

맞은 개수 / 20개

□ 안에 알맞은 수를 써넣으세요.

⑪ $2\times\square=14$

⑫ $2\times\square=16$

⑬ $3\times\square=24$

⑭ $3\times\square=27$

⑮ $4\times\square=16$

⑯ $4\times\square=28$

⑰ $5\times\square=45$

⑱ $5\times\square=40$

⑲ $6\times\square=48$

⑳ $6\times\square=54$

제한 시간 안에 정확하게
모두 풀었다면 여러분은 진정한 **계산왕!**

특강 창의·융합·코딩

누구의 구슬이 가장 많을까?

창의 1 구슬을 가장 많이 가지고 있는 사람은 누구일까요?

누리 $3\times7=$ □(개)

다솜 $6\times4=$ □(개)

뭉치 $5\times6=$ □(개)

효리 $4\times5=$ □(개)

답 ____________

▶정답 및 풀이 12쪽

재미있는 수수께끼

 곱셈구구를 하여 계산 결과에 해당하는 글자를 써넣어 만든 수수께끼의 답을 구하세요.

$2\times5=$ □ — 방 $5\times3=$ □ — 뀌 $4\times8=$ □ — 나

$3\times7=$ □ — 귀 $6\times4=$ □ — 만 $5\times7=$ □ — 는

$3\times9=$ □ — 무

10	21	24	15	35	32	27

?

답 ____________

창의 3 친구들이 한 곳에 둔 가방에 찾기 쉽게 번호를 붙였습니다.

가방의 번호표의
수는 계산 결과입니다.

계산 결과를 구한 후 각자 가방을
찾아 □ 안에 알맞은 기호를 쓰세요.

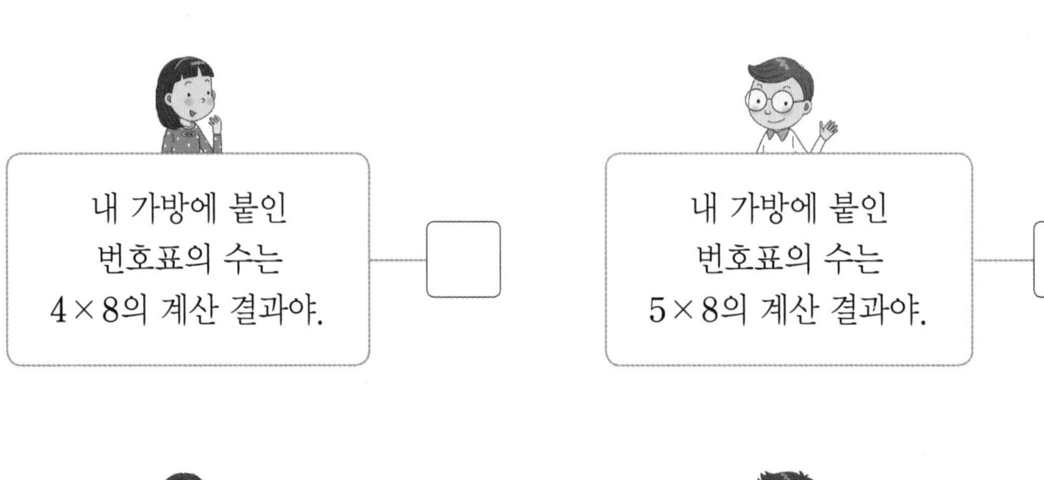

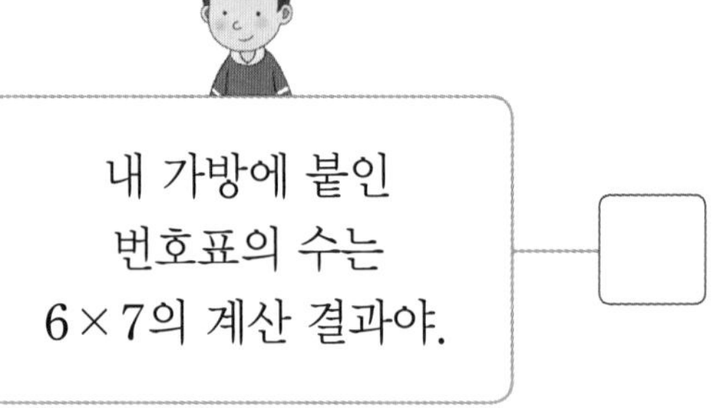

▶정답 및 풀이 12쪽

곱셈식이 옳게 되도록 길을 따라 선을 그어 보세요.

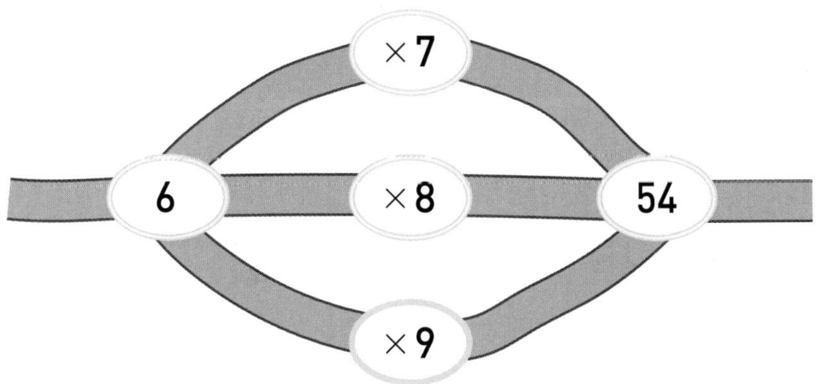

모형의 개수를 옳게 말한 친구의 이름을 쓰세요.

답 ______________

특강 창의·융합·코딩

창의 6 곱셈구구의 답을 따라가며 선을 그어 보물을 찾으세요.

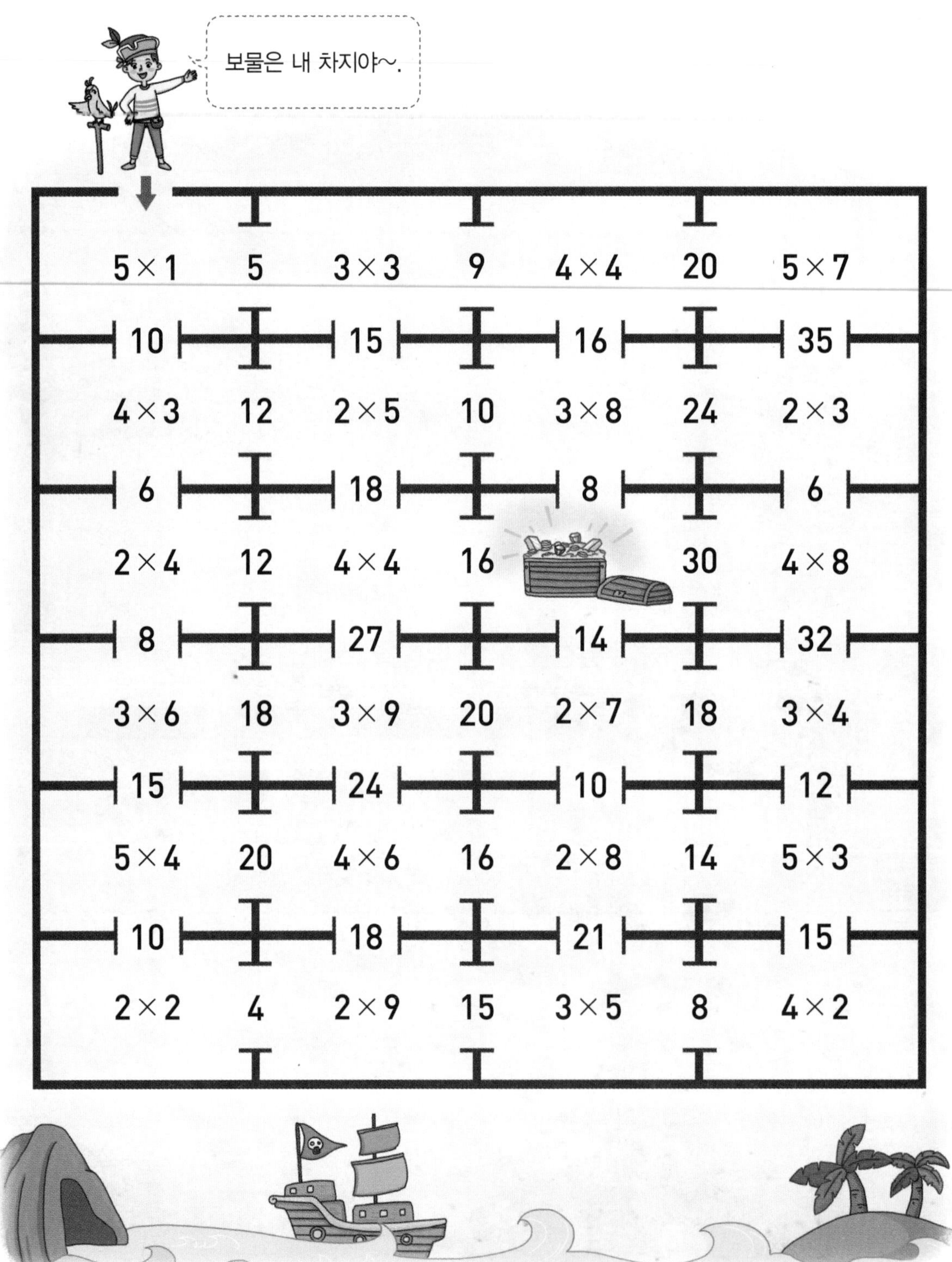

▶정답 및 풀이 12쪽

로봇이 블록명령에 따라 움직이면서 울타리를 쳤을 때, 울타리 안의 꽃은 모두 몇 송이인지 구하세요.

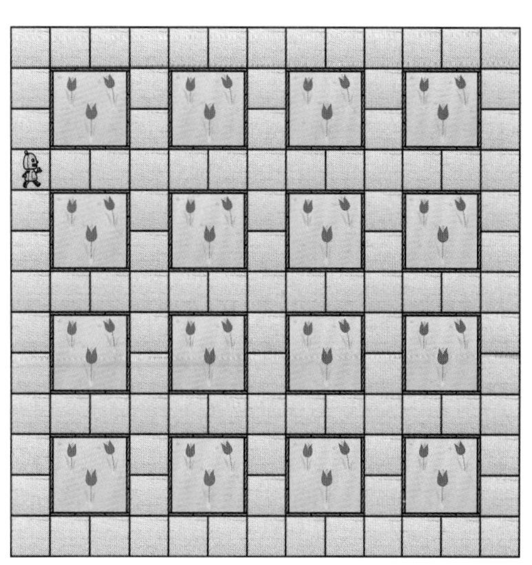

블록명령에 따라 울타리를 치면 울타리 안의 꽃은 모두 3송이씩 □묶음이 되는구나.

□단 곱셈구구를 이용하면

3×□=□이니까

울타리 안의 꽃은 모두 □송이야.

답 ________ 송이

곱셈구구(2)
길이의 합과 차(1)

3주에 배울 내용을 알아볼까요? 1

- 1일 7단 곱셈구구
- 2일 8단 곱셈구구
- 3일 9단 곱셈구구
- 4일 1단 곱셈구구와 0의 곱, 곱셈표 만들기
- 5일 cm보다 더 큰 단위 알아보기

3주에 배울 내용을 알아볼까요? ②

2-2 2~6단 곱셈구구

2단 곱셈구구를 외우면
$2\times1=2$, $2\times2=4$,
$2\times3=6$ …… 곱이 2씩
커져요.

■단 곱셈구구에서
곱하는 수가 1씩 커지면
곱은 ■씩 커지지.

계산해 보세요.

1-1

×	4	5	6
3	12		18

1-2

×	7	8	9
4		32	

1-3

×	2	3	4
5	10		

1-4

×	6	7	8
6			48

2-1 1 cm 알아보기

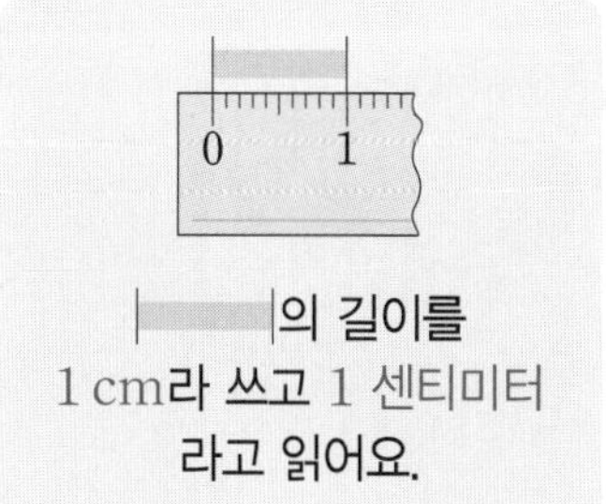

1 cm가 4번이면 4 cm예요.

3주 1일

막대의 길이를 알아보세요.

2-1

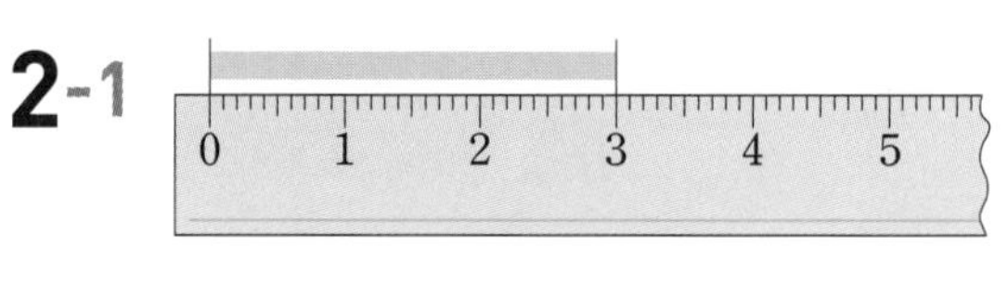

1 cm가 □번 ⇨ □ cm

2-2

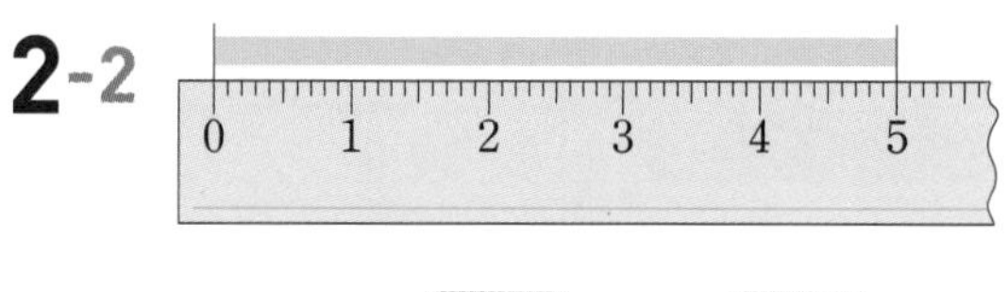

1 cm가 □번 ⇨ □ cm

2-3

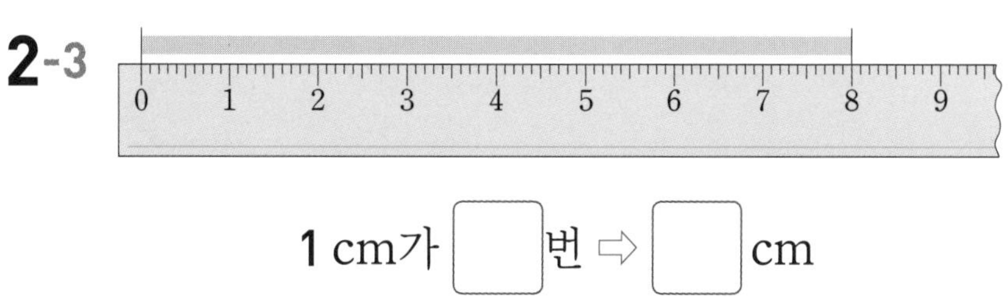

1 cm가 □번 ⇨ □ cm

7단 곱셈구구 ①

똑똑한 하루 계산법

• 그림으로 7단 곱셈구구 알아보기

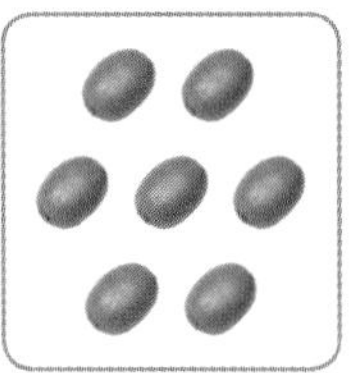

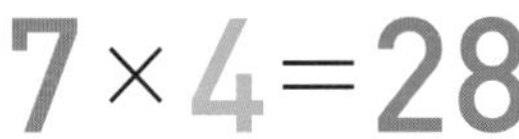

$$7 \times 4 = 28$$

7씩 4묶음이므로 $7 \times 4 = 28$입니다.

7씩 4묶음
⇨ $7+7+7+7=28$
⇨ $7 \times 4 = 28$

○✕ 퀴즈

곱셈식이 바르면 ○에, 틀리면 ✕에 ○표 하세요.

$7 \times 3 = 21$

정답 ○에 ○표

똑똑한 계산 연습

제한 시간 3분

그림을 보고 ▢ 안에 알맞은 수를 써넣으세요.

1 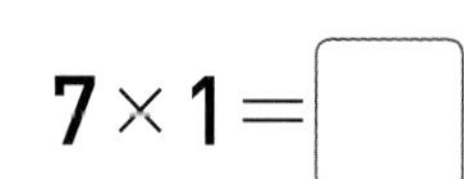 7 × 1 = ▢

콩깍지 한 개에
콩이 7개씩 들어 있어요.

2 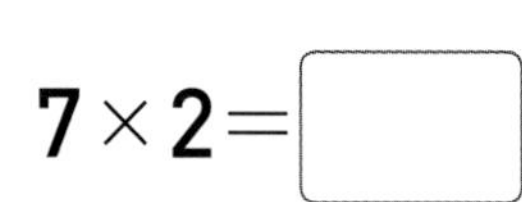 7 × 2 = ▢

3 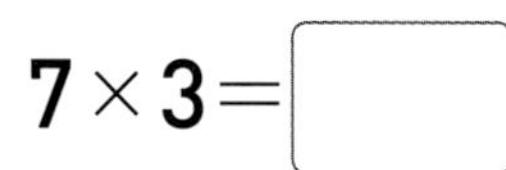 7 × 3 = ▢

4 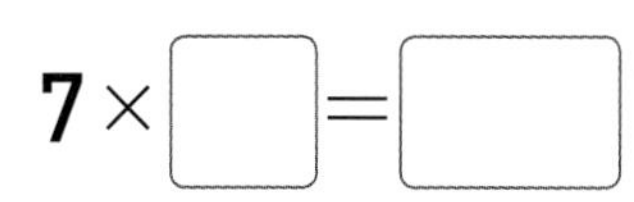 7 × ▢ = ▢

5 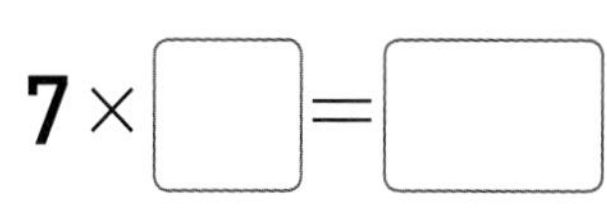 7 × ▢ = ▢

6 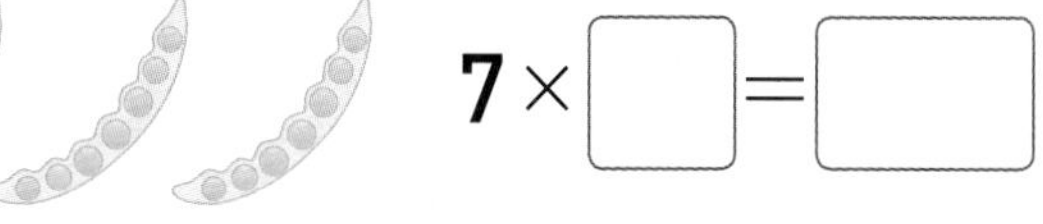 7 × ▢ = ▢

7 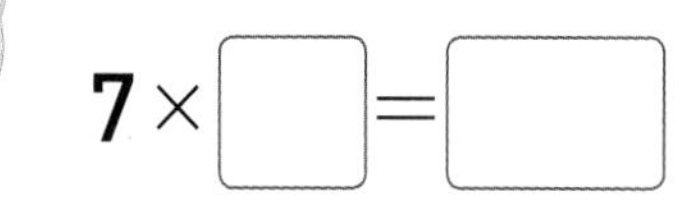 7 × ▢ = ▢

8 7 × ▢ = ▢

9 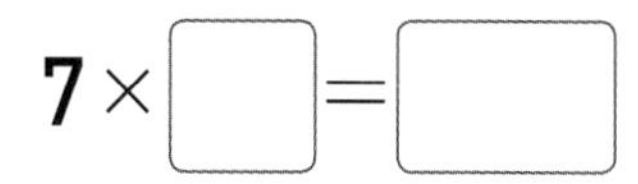 7 × ▢ = ▢

1일 7단 곱셈구구 ②

똑똑한 하루 계산법

• 7단 곱셈구구

×	1	2	3	4	5	6	7	8	9
7	7	14	21	28	35	42	49	56	63

+7 +7 +7 +7 +7 +7 +7 +7

7단 곱셈구구에서 곱하는 수가 1씩 커지면 곱은 **7씩 커집니다.**

$7\times2=14$, $7\times3=21$
7×3은 7×2보다 7만큼 더 커요.

똑똑한 계산 연습

▶정답 및 풀이 13쪽

제한 시간 5분

□ 안에 알맞은 수를 써넣으세요.

①
$7 \times 1 = \square$
$7 \times 2 = \square$
$7 \times 3 = \square$

②
$7 \times 6 = \square$
$7 \times 7 = \square$
$7 \times 8 = \square$

③
$7 \times \square = 21$
$7 \times \square = 28$
$7 \times \square = 35$

④
$7 \times \square = 49$
$7 \times \square = 56$
$7 \times \square = 63$

계산해 보세요.

⑤ $7 \times 5 = \square$

⑥ $7 \times 2 = \square$

⑦ $7 \times 4 = \square$

⑧ $7 \times 7 = \square$

⑨ $7 \times 6 = \square$

⑩ $7 \times 9 = \square$

기초 집중 연습

그림을 보고 ▢ 안에 알맞은 수를 써넣으세요.

1-1

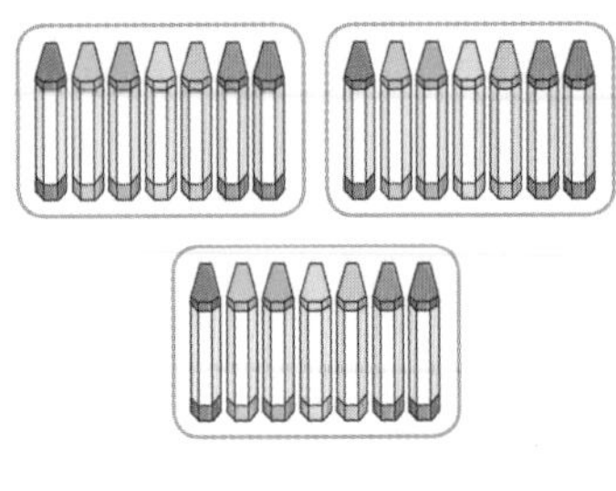

$7 \times 3 = \square$

1-2

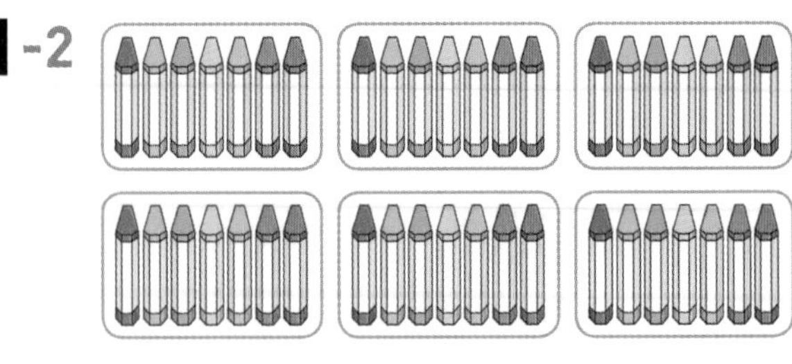

$7 \times \square = \square$

1-3

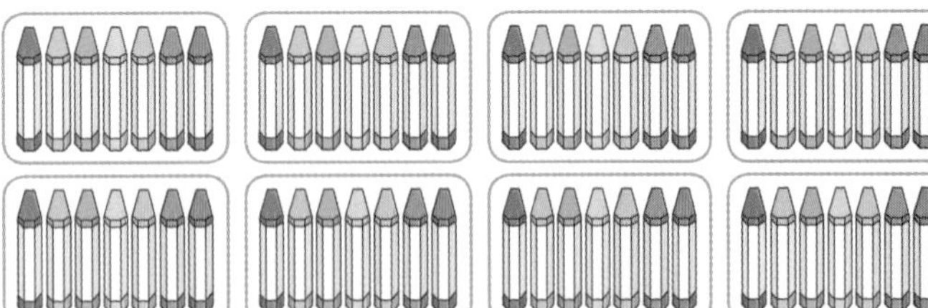

$7 \times \square = \square$

빈칸에 알맞은 수를 써넣으세요.

2-1

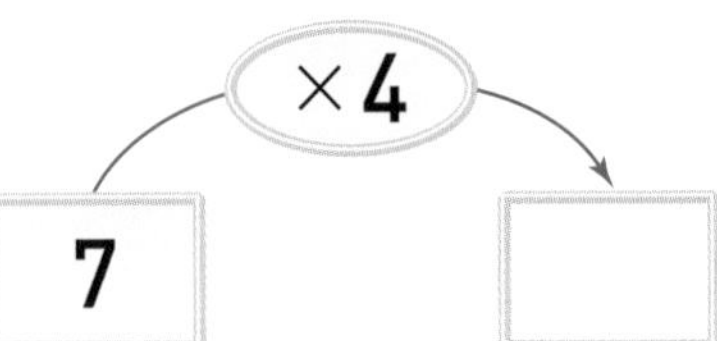

2-2

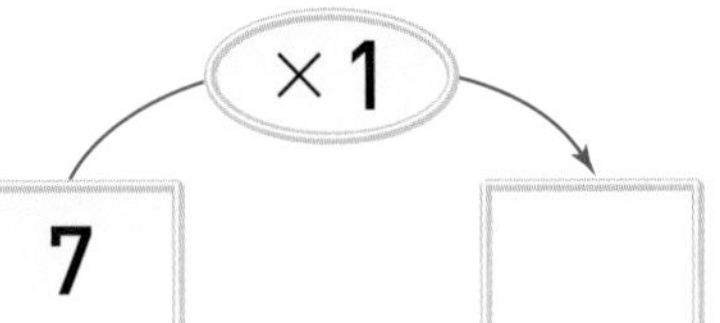

2-3

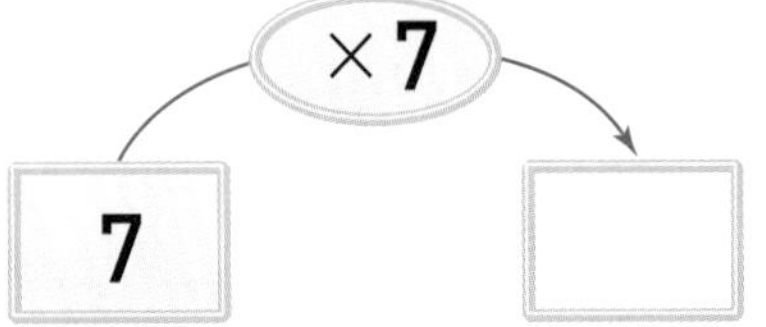

2-4

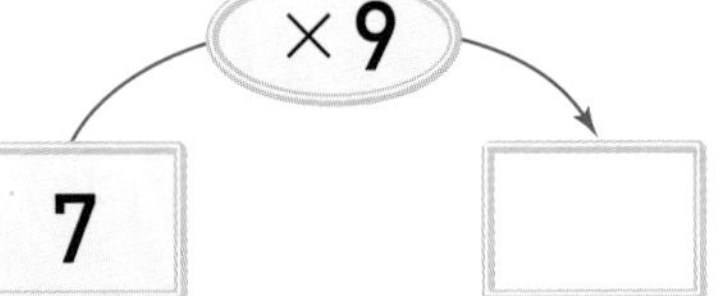

제한 시간 10분

생활 속 계산

빵이 종류별로 한 봉지에 7개씩 담겨 있습니다. 종류별로 모두 몇 개인지 구하세요.

3-1 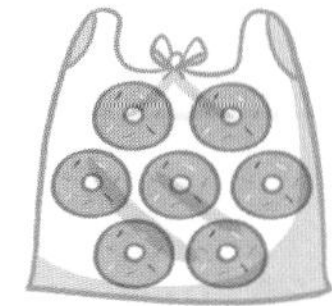 $7 \times 2 = \square$(개)

3-2  $7 \times \square = \square$(개)

3-3  $7 \times \square = \square$(개)

3-4  $7 \times \square = \square$(개)

문장 읽고 계산식 세우기

4-1 꽃병 한 개에 장미가 7송이씩 꽂혀 있을 때 꽃병 6개에 꽂혀 있는 장미는 모두 몇 송이?

식 $7 \times \square = \square$(송이)

4-2 연필꽂이 한 개에 연필이 7자루씩 꽂혀 있을 때 연필꽂이 8개에 꽂혀 있는 연필은 모두 몇 자루?

식 $\square \times \square = \square$(자루)

8단 곱셈구구 ①

똑똑한 하루 계산법

• 그림으로 8단 곱셈구구 알아보기

$$8 \times 3 = 24$$

8씩 3묶음이므로 8×3=24입니다.

8씩 3묶음
⇨ 8+8+8=24
⇨ 8×3=24

OX 퀴즈

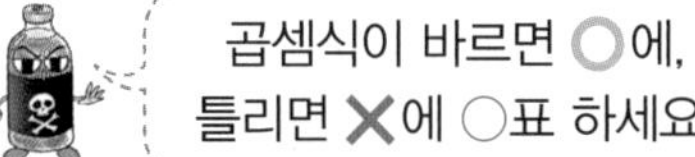

곱셈식이 바르면 ○에,
틀리면 ✕에 ○표 하세요.

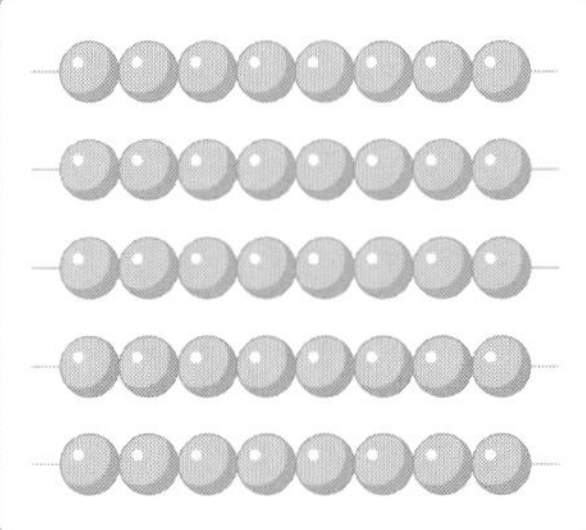

8×5=30

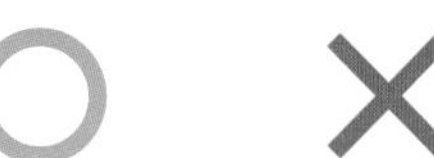

○ ✕

정답 ✕에 ○표

똑똑한 계산 연습

제한 시간 3분

그림을 보고 □ 안에 알맞은 수를 써넣으세요.

꽃 한 송이에
꽃잎이 8장씩이에요.

① $8 \times 1 = \square$

② $8 \times 2 = \square$

③ $8 \times 3 = \square$

④ $8 \times \square = \square$

⑤ $8 \times \square = \square$

⑥ $8 \times \square = \square$

⑦ $8 \times \square = \square$

⑧ $8 \times \square = \square$

⑨ $8 \times \square = \square$

8단 곱셈구구 ②

똑똑한 하루 계산법

• **8단 곱셈구구**

×	1	2	3	4	5	6	7	8	9
8	8	16	24	32	40	48	56	64	72

+8 +8 +8 +8 +8 +8 +8 +8

8단 곱셈구구에서 곱하는 수가 1씩 커지면 곱은 **8씩 커집니다.**

$8\times4=32$, $8\times5=40$
8×5는 8×4보다 8만큼 더 커요.

똑똑한 계산 연습

▶정답 및 풀이 14쪽

제한 시간 5분

□ 안에 알맞은 수를 써넣으세요.

①
$8\times2=\square$
$8\times3=\square$
$8\times4=\square$

②
$8\times7=\square$
$8\times8=\square$
$8\times9=\square$

③
$8\times\square=8$
$8\times\square=16$
$8\times\square=24$

④
$8\times\square=40$
$8\times\square=48$
$8\times\square=56$

계산해 보세요.

⑤ $8\times3=\square$

⑥ $8\times1=\square$

⑦ $8\times6=\square$

⑧ $8\times9=\square$

⑨ $8\times8=\square$

⑩ $8\times4=\square$

2일 기초 집중 연습

그림을 보고 □ 안에 알맞은 수를 써넣으세요.

1-1

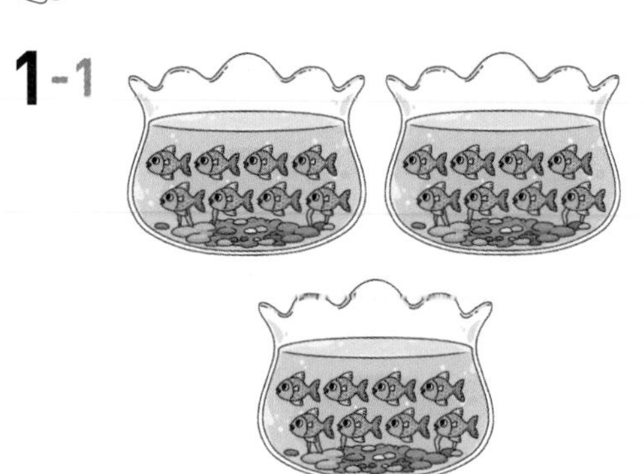

$8 \times 3 =$ □

1-2

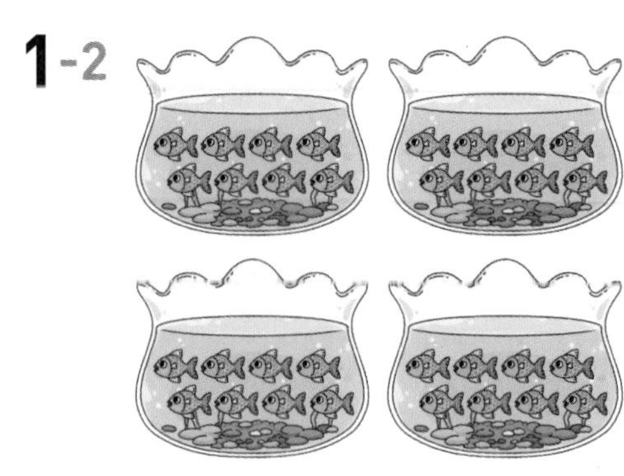

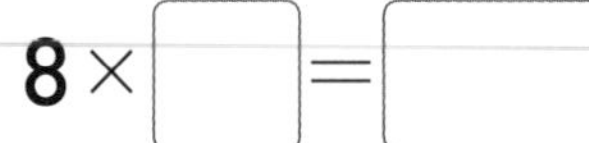

$8 \times$ □ $=$ □

1-3

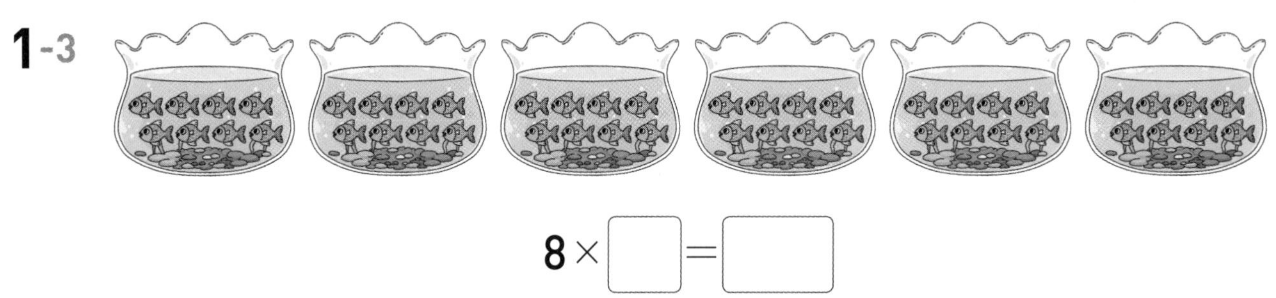

$8 \times$ □ $=$ □

빈칸에 알맞은 수를 써넣으세요.

2-1

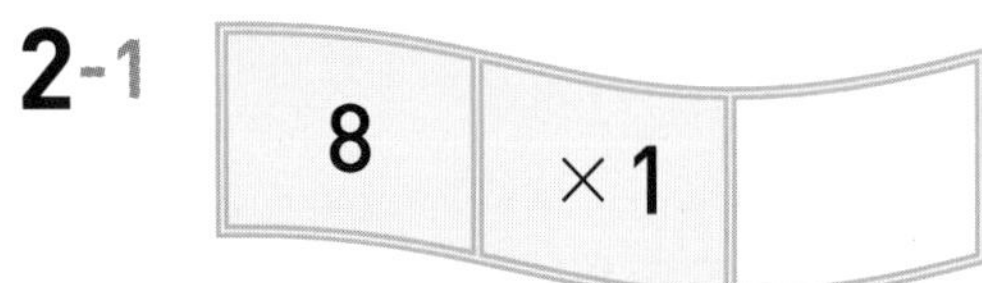

8	×1	

2-2

8	×7	

2-3

8	×9	

2-4

8	×5	

제한 시간 10분

생활 속 계산

문어와 킹크랩의 다리는 8개로 같습니다. 다리는 모두 몇 개인지 구하세요.

3-1

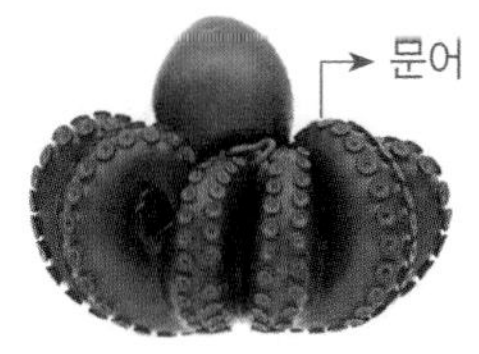

2마리

$8 \times 2 = \square$(개)

3-2

8마리

$8 \times \square = \square$(개)

3-3

4마리

$8 \times \square = \square$(개)

3-4

7마리

$\square \times \square = \square$(개)

문장 읽고 계산식 세우기

4-1 만두가 한 판에 8개씩 들어 있을 때 6판에 들어 있는 만두는 모두 몇 개?

식 $8 \times \square = \square$(개)

4-2 닭다리가 한 상자에 8조각씩 들어 있을 때 9상자에 들어 있는 닭다리는 모두 몇 조각?

식 $\square \times \square = \square$(조각)

3일 9단 곱셈구구 ①

똑똑한 하루 계산법

• 그림으로 9단 곱셈구구 알아보기

$$9 \times 3 = 27$$

9씩 3묶음이므로 $9 \times 3 = 27$입니다.

9씩 3묶음
⇨ $9+9+9=27$
⇨ $9 \times 3=27$

OX 퀴즈

곱셈식이 바르면 ○에, 틀리면 ✕에 ○표 하세요.

$9 \times 4 = 36$

정답 ○에 ○표

똑똑한 계산 연습

▶정답 및 풀이 14쪽

제한 시간 3분

그림을 보고 □ 안에 알맞은 수를 써넣으세요.

1. $9 \times 1 =$ □

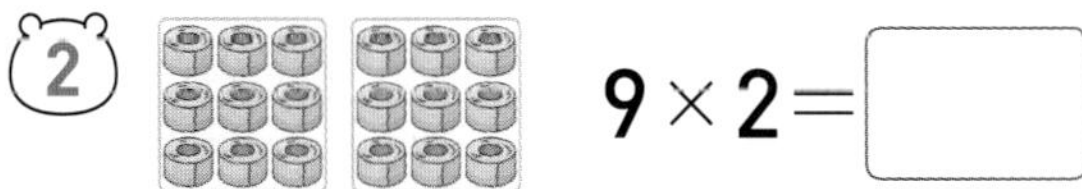

2. $9 \times 2 =$ □

3. $9 \times 3 =$ □

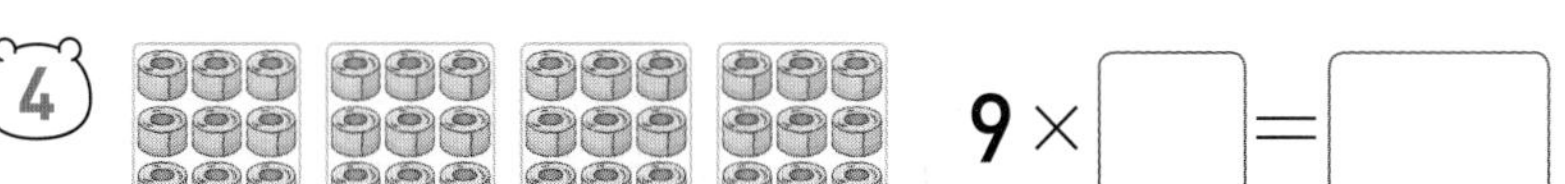

4. $9 \times$ □ $=$ □

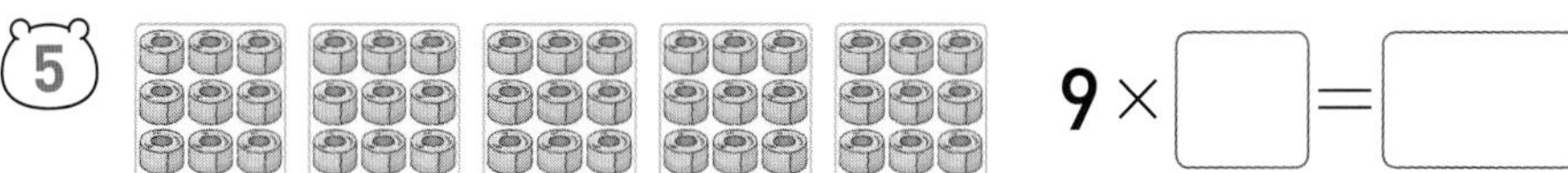

5. $9 \times$ □ $=$ □

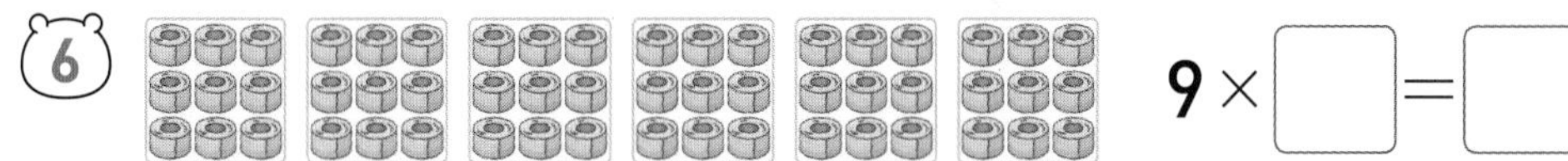

6. $9 \times$ □ $=$ □

7. $9 \times$ □ $=$ □

8. $9 \times$ □ $=$ □

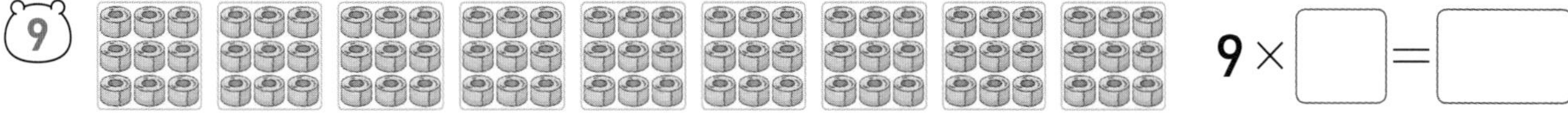

9. $9 \times$ □ $=$ □

9단 곱셈구구 ②

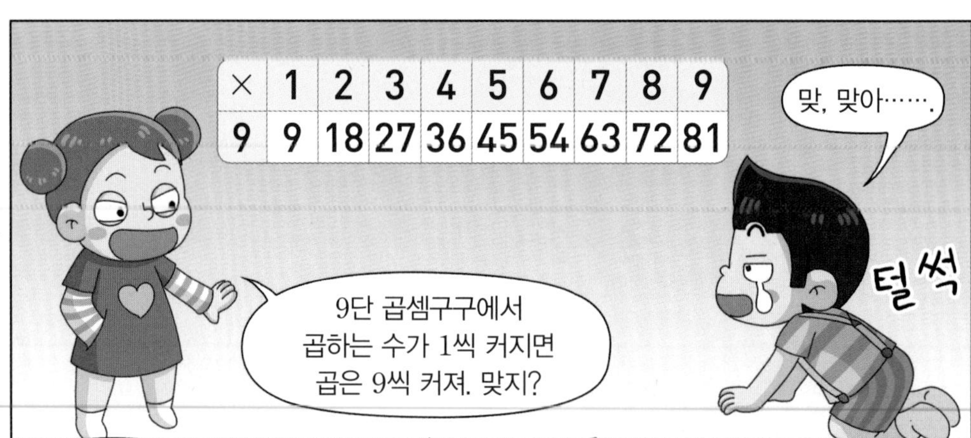

똑똑한 하루 계산법

• **9단 곱셈구구**

×	1	2	3	4	5	6	7	8	9
9	9	18	27	36	45	54	63	72	81

+9 +9 +9 +9 +9 +9 +9 +9

9단 곱셈구구에서 곱하는 수가 1씩 커지면 곱은 **9씩 커집니다.**

$9\times7=63$, $9\times8=72$
9×8은 9×7보다 9만큼 더 커요.

똑똑한 계산 연습

제한 시간 5분

□ 안에 알맞은 수를 써넣으세요.

①
$9 \times 1 = \square$
$9 \times 2 = \square$
$9 \times 3 = \square$

②
$9 \times 7 = \square$
$9 \times 8 = \square$
$9 \times 9 = \square$

③
$9 \times \square = 27$
$9 \times \square = 36$
$9 \times \square = 45$

④
$9 \times \square = 54$
$9 \times \square = 63$
$9 \times \square = 72$

계산해 보세요.

⑤ $9 \times 2 = \square$

⑥ $9 \times 5 = \square$

⑦ $9 \times 4 = \square$

⑧ $9 \times 6 = \square$

⑨ $9 \times 9 = \square$

⑩ $9 \times 7 = \square$

3일 기초 집중 연습

그림을 보고 ▢ 안에 알맞은 수를 써넣으세요.

1-1

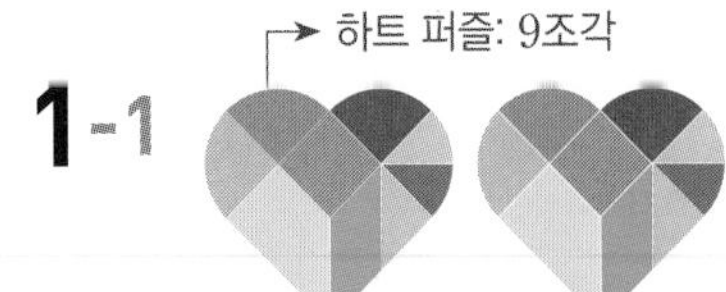

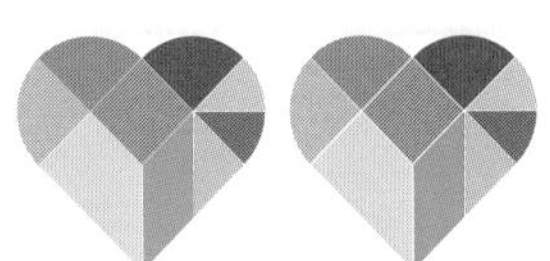

$9 \times 4 = \square$

1-2

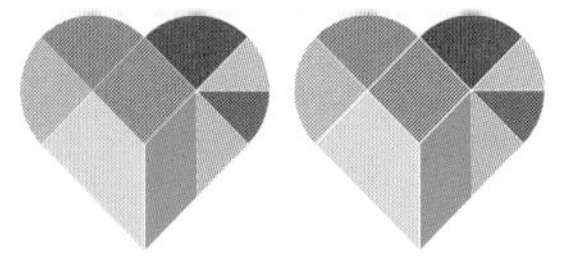

$9 \times \square = \square$

1-3

$9 \times \square = \square$

빈칸에 알맞은 수를 써넣으세요.

2-1

9 ⇨ ×3 ⇨ ▢

2-2

9 ⇨ ×1 ⇨ ▢

2-3

9 ⇨ ×6 ⇨ ▢

2-4

9 ⇨ ×8 ⇨ ▢

제한 시간 10분

생활 속 계산

철사를 사용하여 한 변의 길이가 9 cm인 도형을 만들었습니다. 사용한 철사의 길이는 몇 cm인지 구하세요.

3-1

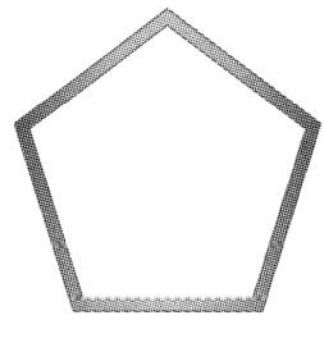

$9 \times 5 = \square$ (cm)

3-2

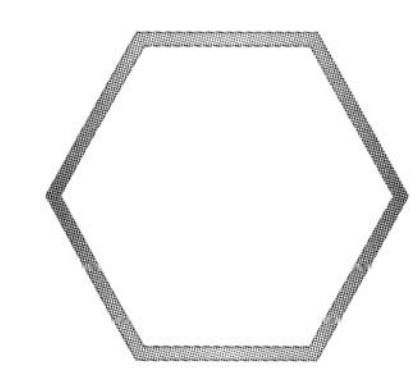

$9 \times \square = \square$ (cm)

3-3

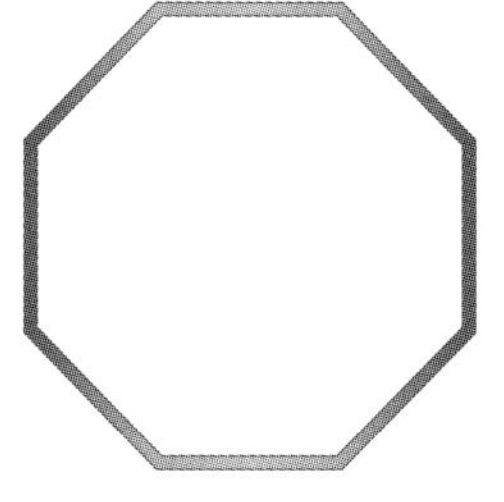

$9 \times 8 = \square$ (cm)

3-4

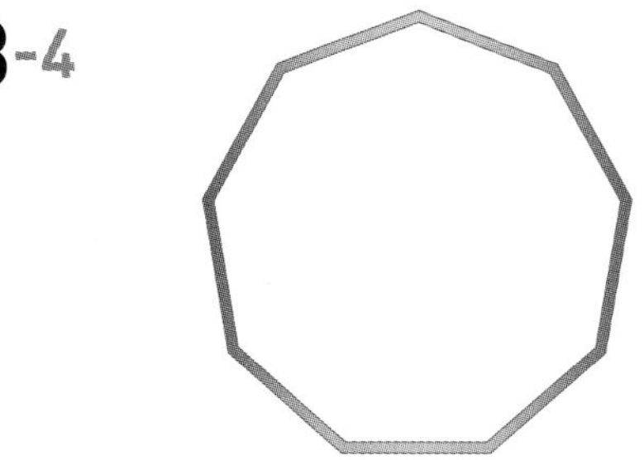

$9 \times \square = \square$ (cm)

문장 읽고 계산식 세우기

4-1 사탕이 9개이고 초콜릿은 사탕 수의 2배일 때 초콜릿은 모두 몇 개?

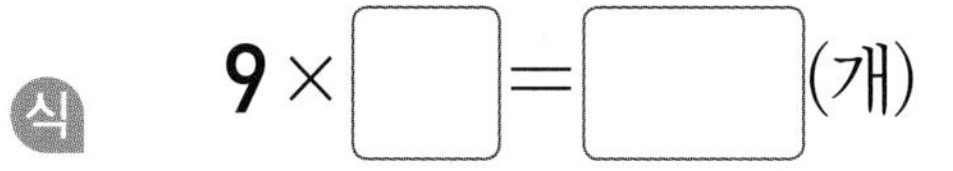

식 $9 \times \square = \square$ (개)

4-2 포도 주스는 9병이고 사과 주스는 포도 주스 수의 7배일 때 사과 주스는 모두 몇 병?

식 $\square \times \square = \square$ (병)

3주 3일

1단 곱셈구구와 0의 곱

똑똑한 하루 계산법

• 1단 곱셈구구

×	1	2	3	4	5	6	7	8	9
1	1	2	3	4	5	6	7	8	9

1과 어떤 수의 곱은 항상 어떤 수가 됩니다. — 1×(어떤 수)=(어떤 수)
어떤 수와 1의 곱은 항상 어떤 수가 됩니다. — (어떤 수)×1=(어떤 수)

• 0의 곱

$0 \times 2 = 0$

0과 어떤 수의 곱은 항상 0입니다.
0×(어떤 수)=0

$2 \times 0 = 0$

어떤 수와 0의 곱은 항상 0입니다.
(어떤 수)×0=0

똑똑한 계산 연습

▶정답 및 풀이 15쪽

제한 시간 3분

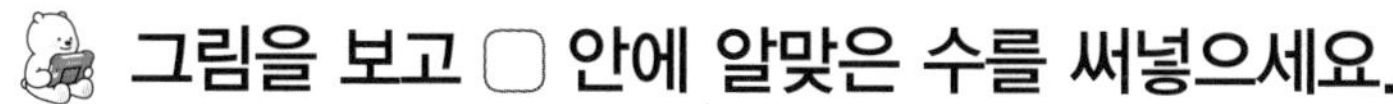

그림을 보고 ☐ 안에 알맞은 수를 써넣으세요.

① $1 \times 5 = \square$

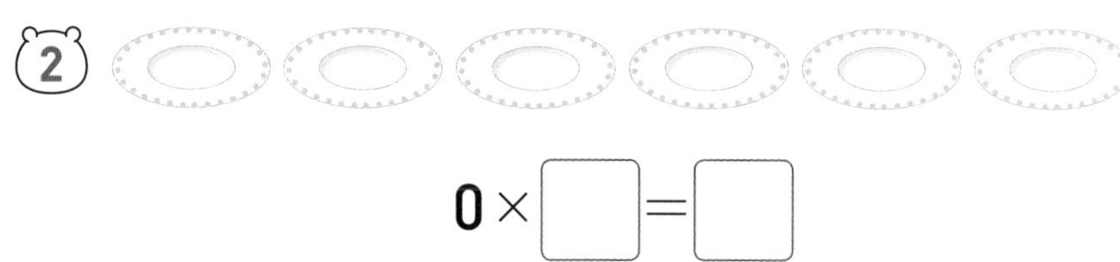

② $0 \times \square = \square$

계산해 보세요.

③ $1 \times 4 = \square$

④ $1 \times 6 = \square$

⑤ $1 \times 9 = \square$

⑥ $7 \times 1 = \square$

⑦ $3 \times 1 = \square$

⑧ $8 \times 1 = \square$

⑨ $0 \times 3 = \square$

⑩ $0 \times 7 = \square$

⑪ $0 \times 4 = \square$

⑫ $5 \times 0 = \square$

⑬ $8 \times 0 = \square$

⑭ $9 \times 0 = \square$

4일 곱셈표 만들기

똑똑한 하루 계산법

• **곱셈표 만들기**

×	1	2	3	4
1	1	2	3	4
2	2	4	6	8
3	3	6	9	12
4	4	8	12	16

2단 곱셈구구에서는 곱이 2씩 커집니다.

곱이 같습니다.

■단 곱셈구구에서는 곱이 ■씩 커집니다.
곱하는 두 수의 순서를 바꾸어도 곱이 같습니다.

$3\times4=12$, $4\times3=12$

곱이 같습니다.

○× 퀴즈

설명이 바르면 ○에, 틀리면 ×에 ○표 하세요.

5×8과 8×5의 곱은 같습니다.

정답 ○에 ○표

똑똑한 계산 연습

▶정답 및 풀이 16쪽

제한 시간 5분

그림을 보고 ▢ 안에 알맞은 수를 써넣으세요.

1

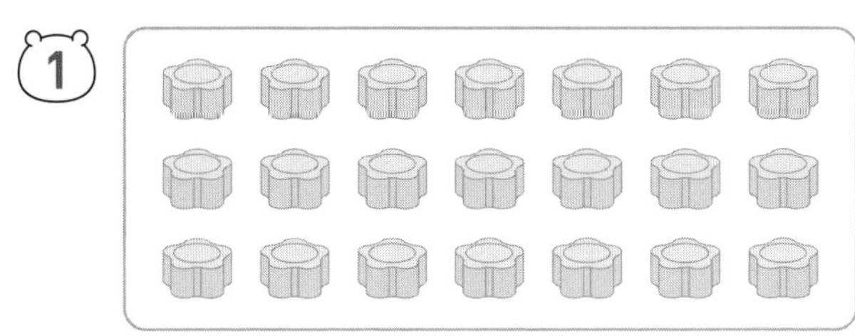

$7 \times 3 =$ ▢

$3 \times$ ▢ $=$ ▢

2

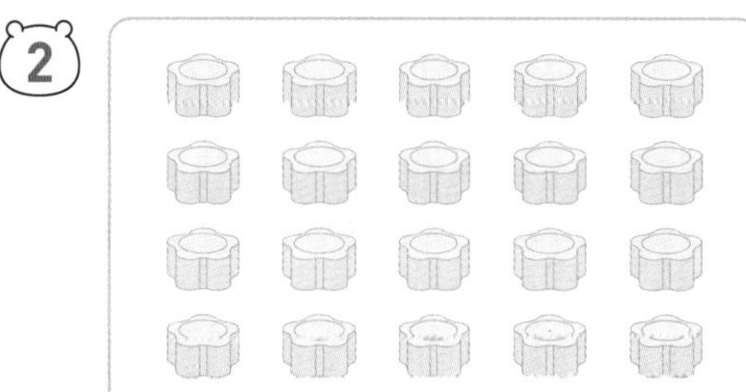

$5 \times$ ▢ $=$ ▢

$4 \times$ ▢ $=$ ▢

빈칸에 알맞은 수를 써넣어 곱셈표를 완성해 보세요.

3

×	2	3	4	5
1	2		4	
2		6		10
3	6		12	
4		12		20

4

×	3	4	5	6
3		12		18
4	12		20	
5		20		30
6	18		30	

5

×	4	5	6	7
5				35
6				
7	28	35		
8	32	40		

6

×	6	7	8	9
6	36			54
7		49		
8			64	
9				81

3주 4일

기초 집중 연습

□ 안에 알맞은 수를 써넣으세요.

1-1
2×6=□
6×2=□

1-2
7×4=□
4×7=□

1-3
8×3=□
3×□=24

1-4
5×□=45
9×5=□

2 곱셈표를 완성하고 알맞게 색칠해 보세요.

×	2	3	4	5	6	7	8	9
2	4	6	8	10	12	14		18
3	6	9	12		18		24	
4	8	12	16	20		28		
5	10		20	25	30			45
6				30	36		48	54
7	14		28	35			56	
8	16	24			48		64	72
9	18	27	36	45		63	72	81

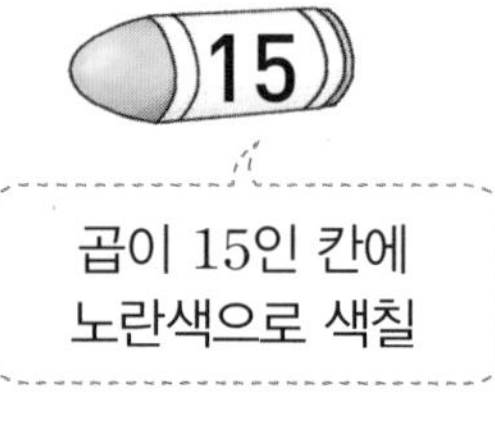

곱이 15인 칸에
노란색으로 색칠

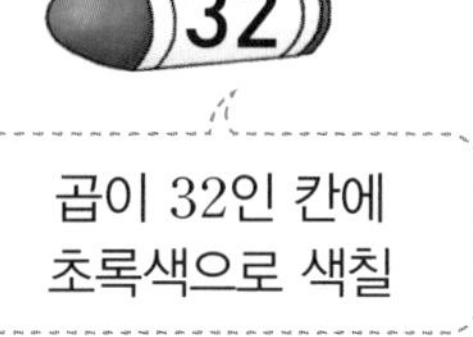

곱이 32인 칸에
초록색으로 색칠

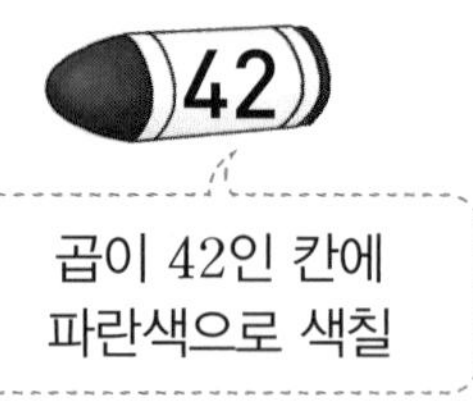

곱이 42인 칸에
파란색으로 색칠

제한 시간 10분

생활 속 계산

보기 와 같이 두 수의 곱을 구하세요.

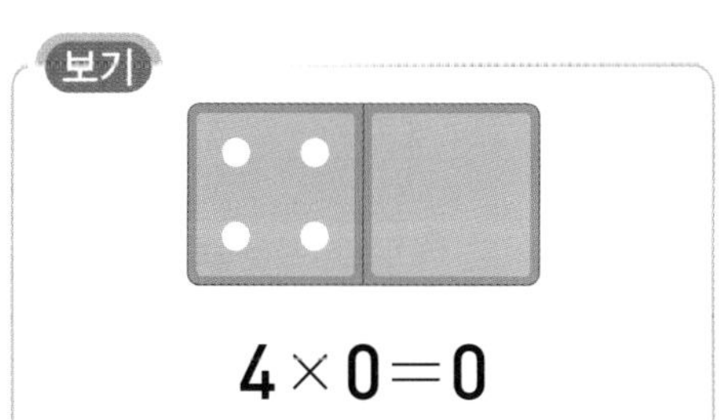

3-1
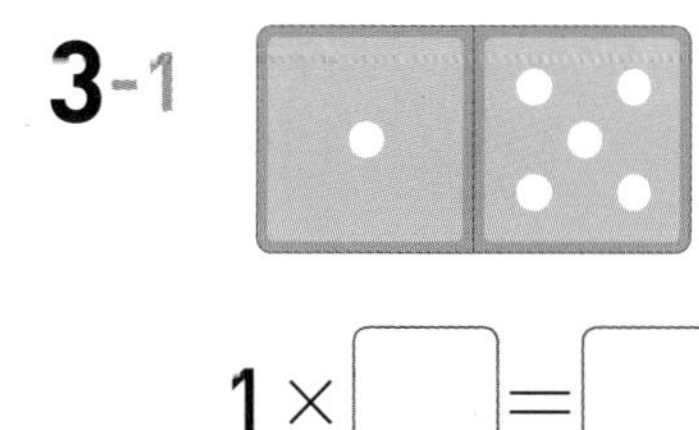

1×□=□

3-2
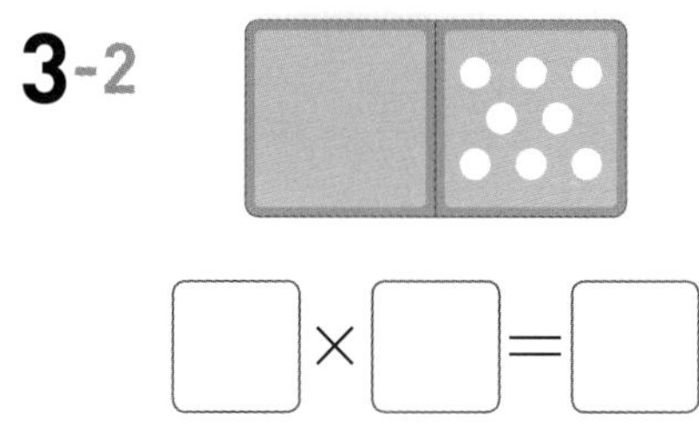

□×□=□

3-3
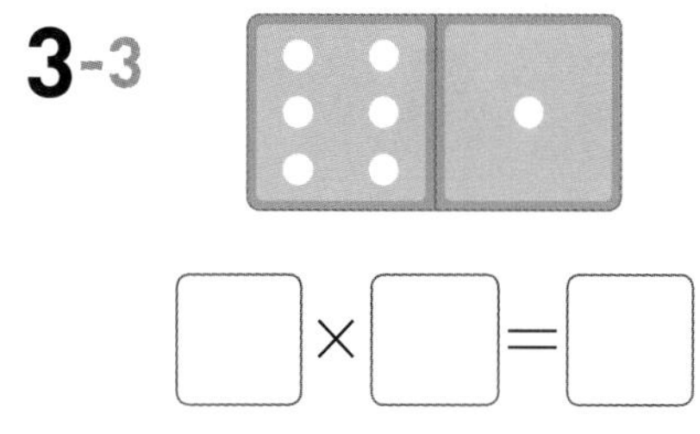

□×□=□

문장 읽고 계산식 세우기

4-1

식 1×□=□

4-2
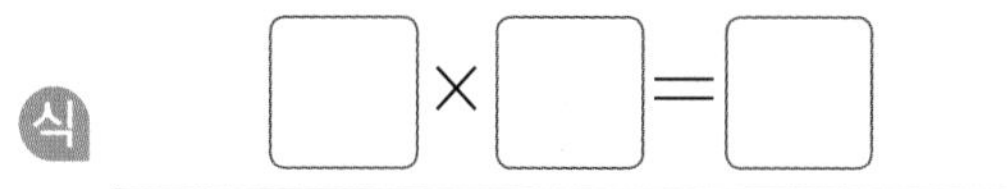

식 □×□=□

4-3 0과 2의 곱은?

식 0×□=□

4-4 0과 9의 곱은?

식 □×□=□

cm보다 더 큰 단위 알아보기 ①

똑똑한 하루 계산법

• 1 m 알아보기

100 cm=1 m

쓰기 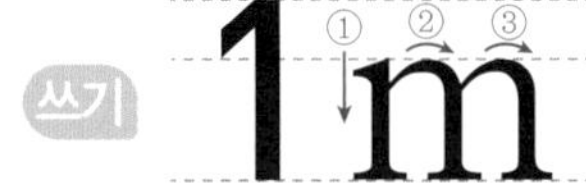 읽기 1 미터

• 1 m보다 더 긴 길이 알아보기

예 1 m보다 30 cm 더 긴 길이

쓰기 1 m 30 cm

읽기 1 미터 30 센티미터

OX 퀴즈

길이를 바르게 읽었으면 ◯에, 틀리게 읽었으면 ✕에 ◯표 하세요.

4 미터

정답 ◯에 ◯표

똑똑한 계산 연습

제한 시간 3분

길이를 바르게 읽어 보세요.

① 7 m 읽기 ____________

② 4 m 80 cm 읽기 ____________

③ 9 m 20 cm 읽기 ____________

밑줄 친 길이를 읽어 보세요.

④ 교실 문의 높이는 2 m입니다.

읽기 ____________

⑤ 육교의 높이는 5 m입니다.

읽기 ____________

⑥ 수현이의 키는 1 m 48 cm 입니다.

읽기 ____________

⑦ 줄넘기의 길이는 3 m 50 cm 입니다.

읽기 ____________

cm보다 더 큰 단위 알아보기 ②

똑똑한 하루 계산법

• **길이를 몇 cm와 몇 m 몇 cm로 나타내기**

㉮ 120 cm를 몇 m 몇 cm로 나타내기

$$120\text{ cm}=100\text{ cm}+20\text{ cm}$$
$$=1\text{ m }20\text{ cm}$$

㉮ 1 m 30 cm를 몇 cm로 나타내기

$$1\text{ m }30\text{ cm}=100\text{ cm}+30\text{ cm}$$
$$=130\text{ cm}$$

○✕ 퀴즈

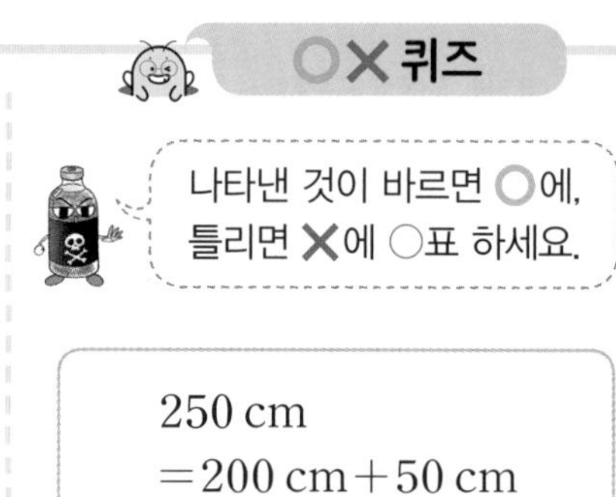

250 cm
=200 cm+50 cm
=20 m 50 cm

정답 ✕에 ○표

똑똑한 계산 연습

▶정답 및 풀이 16쪽

제한 시간 5분

□ 안에 알맞은 수를 써넣으세요.

① 170 cm
= 100 cm + 70 cm
= □ m □ cm

② 360 cm
= □ cm + 60 cm
= □ m □ cm

③ 510 cm = □ m □ cm

④ 240 cm = □ m □ cm

⑤ 629 cm = □ m □ cm

⑥ 705 cm = □ m □ cm

⑦ 6 m 70 cm
= □ cm + 70 cm
= □ cm

⑧ 2 m 90 cm
= □ cm + 90 cm
= □ cm

⑨ 4 m 20 cm = □ cm

⑩ 5 m 30 cm = □ cm

⑪ 7 m 48 cm = □ cm

⑫ 9 m 6 cm = □ cm

기초 집중 연습

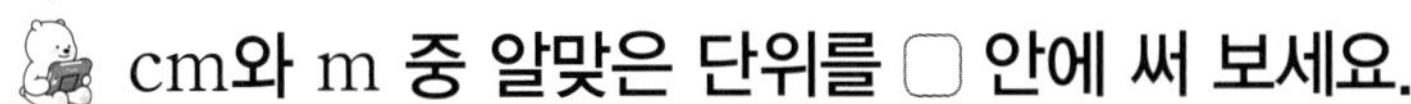

cm와 m 중 알맞은 단위를 ▢ 안에 써 보세요.

1-1 색연필의 길이는 약 14 ▢ 입니다.

1-2 자동차의 긴 쪽의 길이는 약 5 ▢ 입니다.

1-3 전봇대의 높이는 약 10 ▢ 입니다.

같은 길이끼리 선으로 이어 보세요.

2-1

250 cm •	• 2 m 5 cm
205 cm •	• 2 m 50 cm
	• 2 m 55 cm

2-2

8 m 31 cm •	• 813 cm
8 m 13 cm •	• 8031 cm
	• 831 cm

길이를 비교하여 ○ 안에 >, =, <를 알맞게 써넣으세요.

3-1 400 cm ○ 5 m

3-2 7 m ○ 700 cm

3-3 192 cm ○ 19 m 2 cm

3-4 6 m 30 cm ○ 603 cm

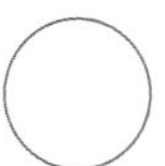

제한 시간 10분

생활 속 문제

동물의 키를 몇 m 몇 cm로 나타내어 보세요.

4-1 내 키는 526 cm예요.

□ m □ cm

4-2 내 키는 370 cm예요.

□ m □ cm

4-3 내 키는 215 cm예요.

□ m □ cm

4-4 내 키는 148 cm예요.

□ m □ cm

문장 읽고 문제 해결하기

5-1 3 m인 나무의 높이를 cm로 나타내면?

답 ______ cm

5-2 2 m보다 72 cm 더 긴 길이는 몇 cm?

답 ______ cm

3주 평가 누구나 100점 맞는 TEST

 계산해 보세요.

❶ $7\times3=$ □

❷ $9\times1=$ □

❸ $0\times6=$ □

❹ $8\times2=$ □

❺ $8\times7=$ □

❻ $1\times5=$ □

❼ $9\times3=$ □

❽ $7\times6=$ □

❾ $7\times4=$ □

❿ $4\times0=$ □

⓫ $9\times8=$ □

⓬ $8\times5=$ □

▶정답 및 풀이 17쪽

제한 시간 10분

맞은 개수 / 20개

빈칸에 알맞은 수를 써넣어 곱셈표를 완성해 보세요.

⑬

×	2	3	4	5
2	4	6		
3	6	9	12	
4		12		
5				

⑭

×	6	7	8	9
6			48	
7		49		
8	48		64	72
9				81

□ 안에 알맞은 수를 써넣으세요.

⑮ 600 cm=□ m

⑯ 9 m=□ cm

⑰ 185 cm=□ m □ cm

⑱ 2 m 40 cm=□ cm

⑲ 707 cm=□ m □ cm

⑳ 8 m 36 cm=□ cm

제한 시간 안에 정확하게
모두 풀었다면 여러분은 진정한 **계산왕!**

3주 평가

창의 · 융합 · 코딩

맛있는 곶감 만들기

누리가 할머니의 집으로 놀러 갔습니다.

감을 8개씩 6줄로 매달아 말리고 있어요.
모두 몇 개일까요?

$8 \times \square = \square$

답 ______________ 개

▶정답 및 풀이 18쪽

재미있는 도형 그리기

뭉치가 곱셈구구를 이용하여 도형을 그리려고 합니다.

8단 곱셈구구의 일의 자리 숫자를 이어 도형을 그려 봐요.

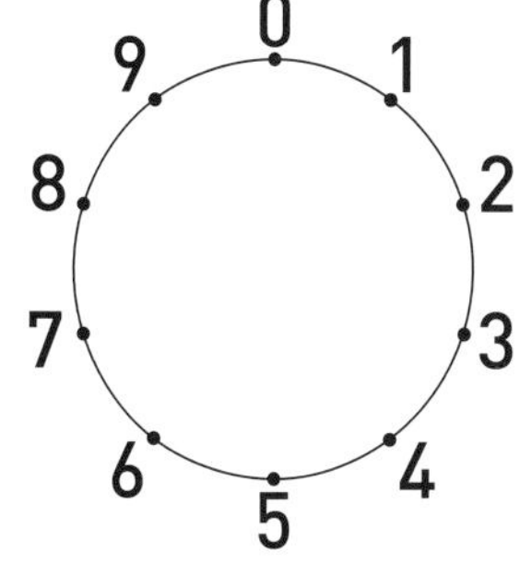

창의·융합·코딩

 어린이 야구 경기장입니다. 물음에 답하세요.

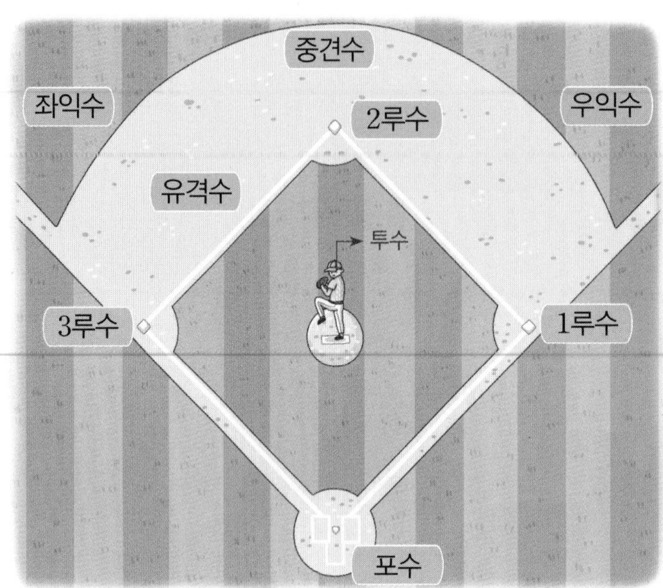

한 팀에 선수가 9명 있습니다. 5팀이 모여서 야구 경기를 한다면 선수는 모두 몇 명 일까요?

답 ______ 명

투수와 포수 사이의 거리는 1402 cm입니다. 이 거리는 몇 m 몇 cm인지 쓰고 읽어 보세요.

쓰기 ______

읽기 ______

▶정답 및 풀이 18쪽

창의 5 갈림길에서 곱을 따라가면 가야 하는 곳을 알 수 있습니다. 어디로 가야 하는지 쓰세요.

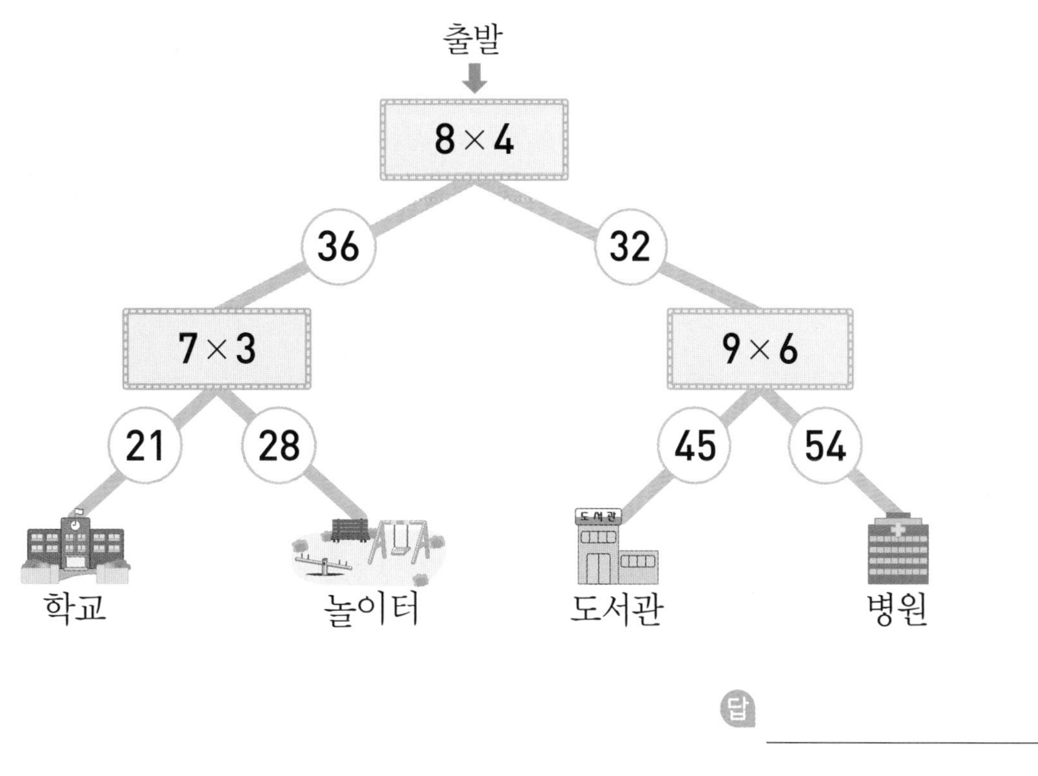

답 ______________

창의 6 7단 곱셈구구의 값을 찾아 선으로 이어 보세요.

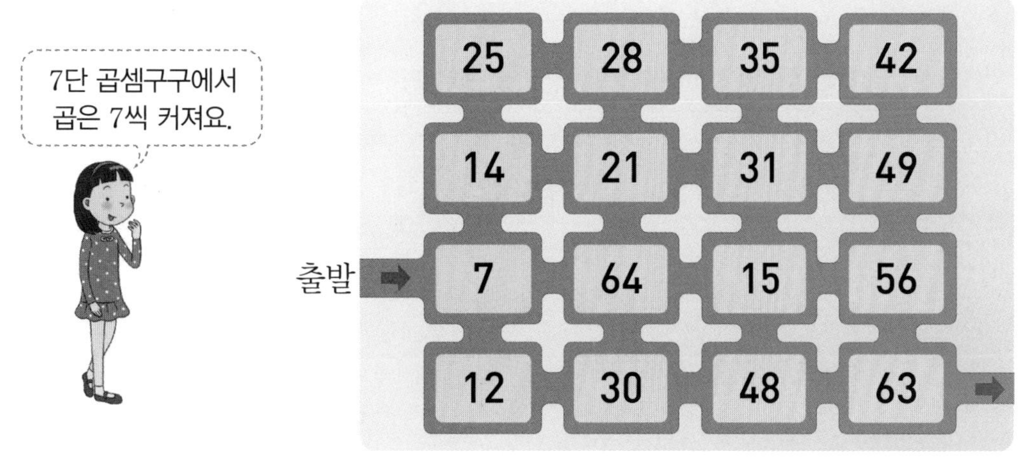

특강 창의·융합·코딩

융합 7 경주에 있는 문화재의 높이를 조사하여 나타낸 것입니다. 표를 완성해 보세요.

문화재	첨성대	불국사 삼층석탑
m와 cm로 나타내기	9 m 17 cm	□ m □ cm
cm로 나타내기	□ cm	1075 cm

창의 8 주혁이는 화살 6개를 쏘아 다음과 같이 맞혔습니다. 주혁이가 얻은 점수는 모두 몇 점일까요?

0
1
3

점수판의 수	0	1	3
맞힌 횟수(번)	3	2	1
점수(점)	□	□	□

답 ________ 점

▶정답 및 풀이 18쪽

블록명령에 따라 로봇이 지나간 길에 있는 모든 수의 곱을 구하세요.

(로봇)		9		
				8
1			4	
		3		7
6				

답 ______________

3주 특강

	5			
0		8		3
	7			
			9	
(로봇)		1		

답 ______________

4주 길이의 합과 차(2), 시각과 시간

4주에 배울 내용을 알아볼까요? 1

1일 길이의 합
2일 길이의 차
3일 시각 읽기, 몇 시 몇 분 전 알아보기
4일 1시간, 걸린 시간 알아보기
5일 하루의 시간, 달력 알아보기

4주에 배울 내용을 알아볼까요? ②

2-2 cm보다 더 큰 단위

□ 안에 알맞은 수를 써넣으세요.

1-1 270 cm=□ m □ cm

1-2 2 m 30 cm=□ cm

1-3 340 cm=□ m □ cm

1-4 4 m 10 cm=□ cm

1-5 510 cm=□ m □ cm

1-6 3 m 70 cm=□ cm

1-2 시계 보기

9시 30분

짧은바늘이 9와 10 사이를, 긴바늘이 6을 가리키므로 시계가 나타내는 시각은 9시 30분이에요.

시각을 읽어 보세요.

2-1

☐ 시

2-2

☐ 시

2-3

☐ 시 ☐ 분

2-4

☐ 시 ☐ 분

길이의 합 ①

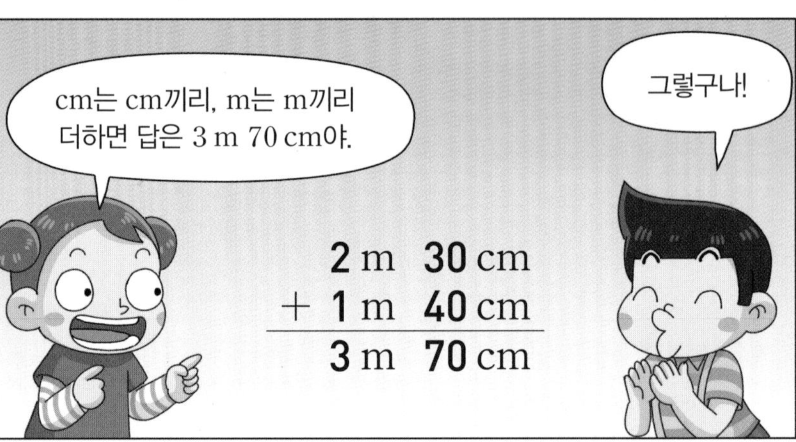

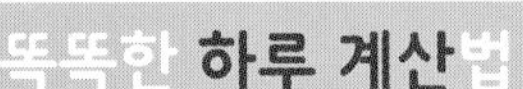

• **받아올림이 없는 길이의 합**

예 2 m 30 cm+1 m 40 cm의 계산

m 단위끼리 더해요.

2 m **30** cm+**1** m **40** cm=**3** m **70** cm

cm 단위끼리 더해요.

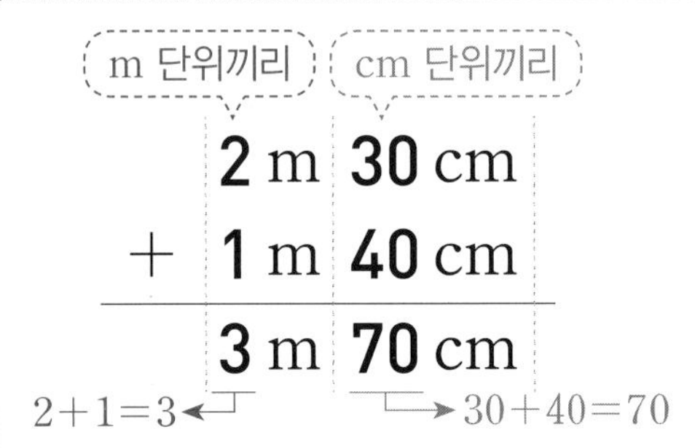

cm는 cm끼리, m는 m끼리 더합니다.

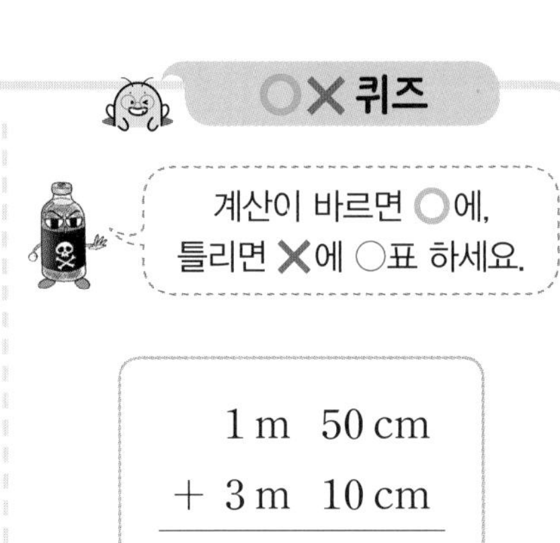

	1 m	50 cm
+	3 m	10 cm
	4 m	60 cm

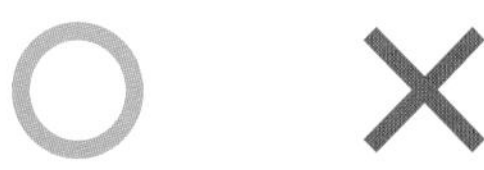

정답 ○에 ○표

똑똑한 계산 연습

▶정답 및 풀이 19쪽

제한 시간 3분

길이의 합을 구하세요.

① 2 m 10 cm + 1 m 60 cm = ☐ m ☐ cm

② 3 m 40 cm + 2 m 20 cm = ☐ m ☐ cm

③

	1	m	20	cm
+	3	m	50	cm
		m		cm

④

	5	m	25	cm
+	2	m	40	cm
		m		cm

⑤

	2	m	33	cm
+	3	m	16	cm
		m		cm

⑥

	5	m	21	cm
+	4	m	56	cm
		m		cm

⑦

	4	m	45	cm
+	2	m	13	cm
		m		cm

⑧

	6	m	36	cm
+	2	m	43	cm
		m		cm

길이의 합 ②

똑똑한 하루 계산법

- **받아올림이 있는 길이의 합**

  ㉮ 1 m 50 cm+2 m 70 cm의 계산

$$\begin{array}{rrr} & 1 & \\ & 1\text{ m} & 50\text{ cm} \\ + & 2\text{ m} & 70\text{ cm} \\ \hline & 4\text{ m} & 20\text{ cm} \end{array}$$

1+1+2=4 ← 50+70=①20

참고

1 m 50 cm+2 m 70 cm=3 m 120 cm
=4 m 20 cm
(3+1)

○✕ 퀴즈

계산이 바르면 ○에,
틀리면 ✕에 ○표 하세요.

$$\begin{array}{rrr} & 2\text{ m} & 60\text{ cm} \\ + & 3\text{ m} & 50\text{ cm} \\ \hline & 5\text{ m} & 10\text{ cm} \end{array}$$

정답 ✕에 ○표

똑똑한 계산 연습

▶정답 및 풀이 19쪽

제한 시간 4분

길이의 합을 구하세요.

①

	2	m	40	cm
+	1	m	74	cm
		m		cm

②

	3	m	85	cm
+	2	m	40	cm
		m		cm

③

	5	m	63	cm
+	3	m	50	cm
		m		cm

④

	4	m	50	cm
+	3	m	64	cm
		m		cm

⑤

	1	m	46	cm
+	3	m	71	cm
		m		cm

⑥

	2	m	51	cm
+	4	m	65	cm
		m		cm

⑦

	6	m	20	cm
+	2	m	84	cm
		m		cm

⑧

	5	m	64	cm
+	1	m	51	cm
		m		cm

기초 집중 연습

□ 안에 알맞은 수를 써넣으세요.

1-1

	1	m	24	cm
+	2	m	33	cm
	□	m	□	cm

1-2

	3	m	32	cm
+	2	m	43	cm
	□	m	□	cm

두 길이의 합은 몇 m 몇 cm인지 구하세요.

2-1

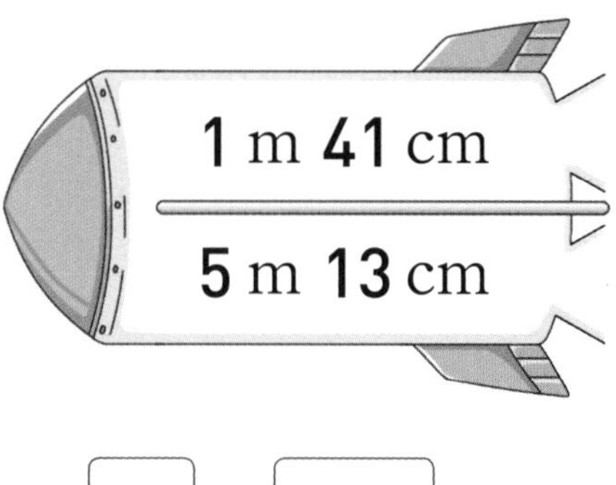

□ m □ cm

2-2

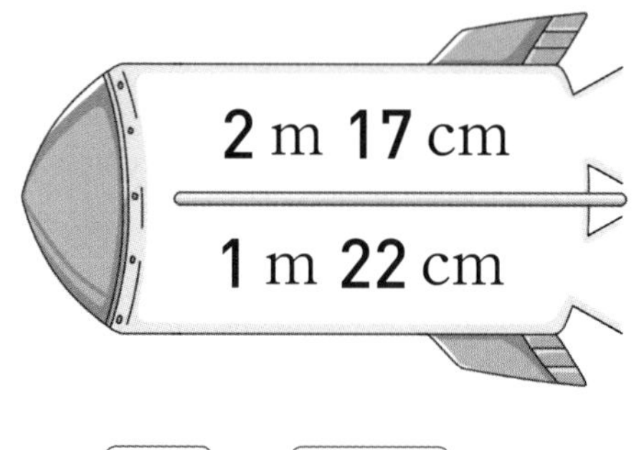

□ m □ cm

2-3

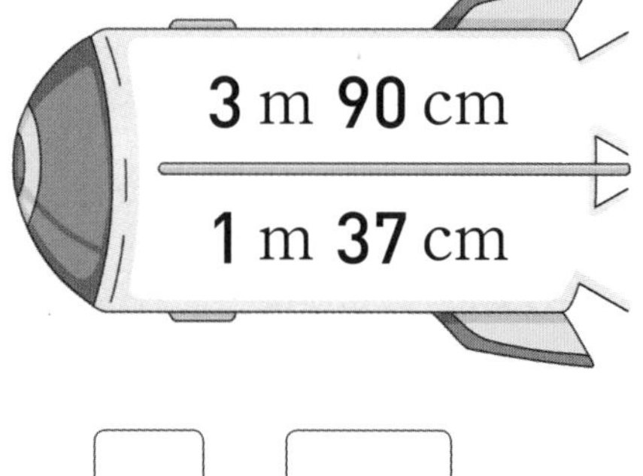

□ m □ cm

2-4

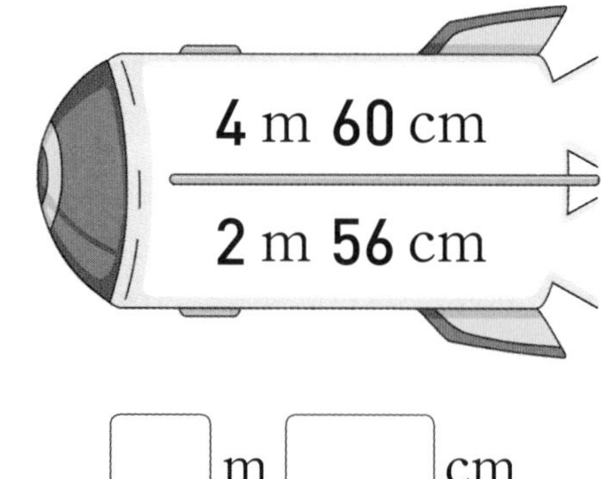

□ m □ cm

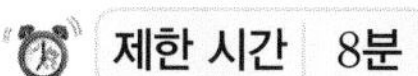

제한 시간 8분

생활 속 계산

포장하는 데 사용한 두 리본 끈의 길이의 합을 구하세요.

3-1

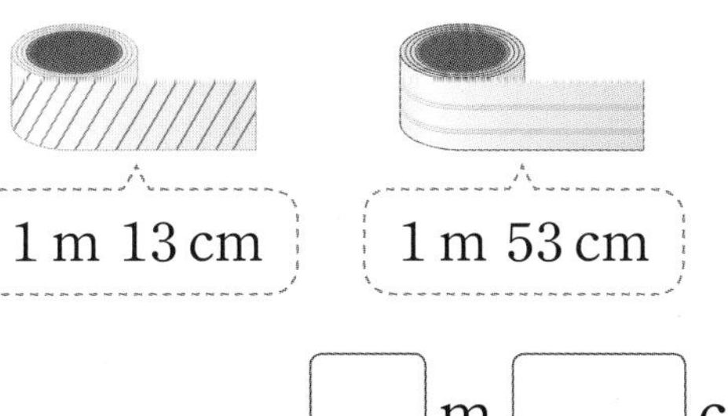

□ m □ cm

3-2

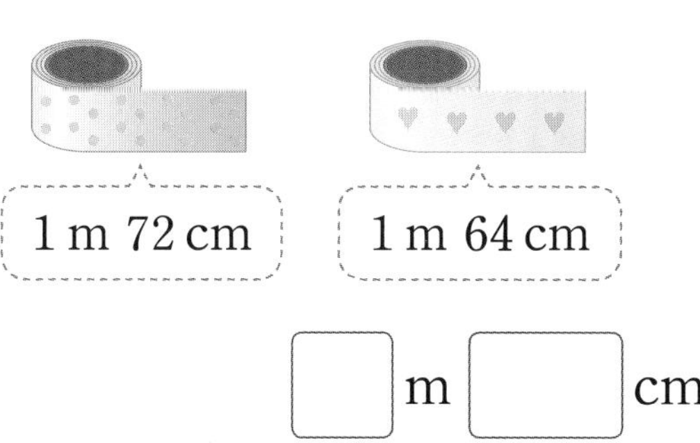

□ m □ cm

3-3

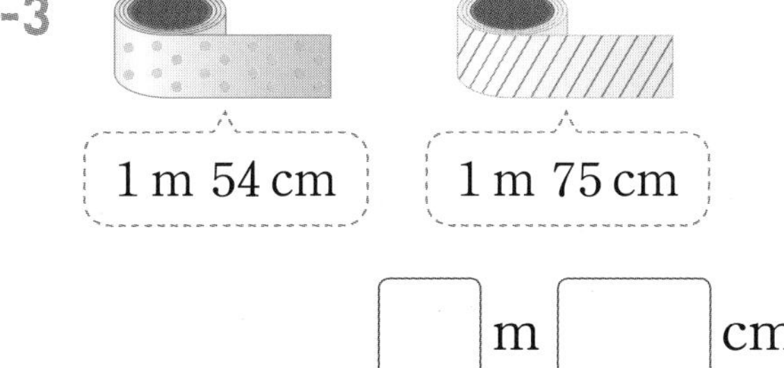

□ m □ cm

3-4

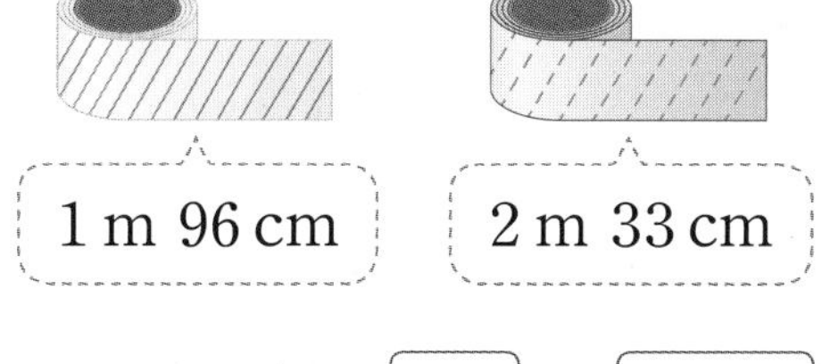

□ m □ cm

문장 읽고 계산식 세우기

4-1

1 m 24 cm보다 2 m 53 cm 더 긴 길이는?

식 1 m 24 cm+2 m □ cm

=□ m □ cm

4-2

2 m 36 cm보다 2 m 92 cm 더 긴 길이는?

식 2 m 36 cm+2 m □ cm

=□ m □ cm

길이의 차 ①

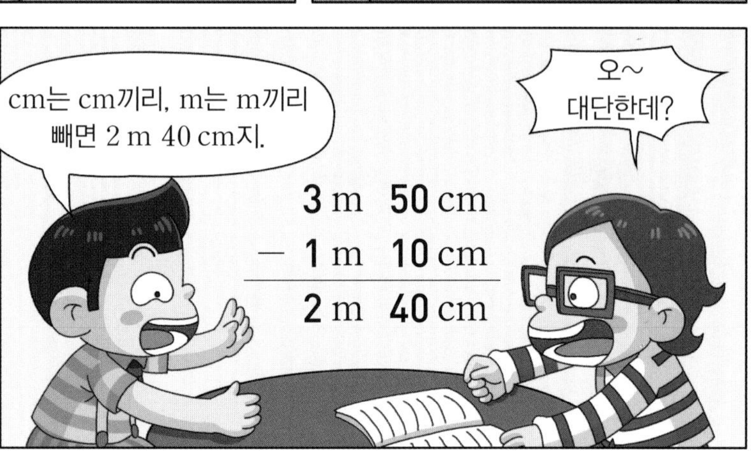

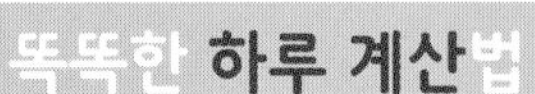

• 받아내림이 없는 길이의 차

㉮ 3 m 50 cm − 1 m 10 cm의 계산

m 단위끼리 빼요.

3 m 50 cm − 1 m 10 cm = 2 m 40 cm

cm 단위끼리 빼요.

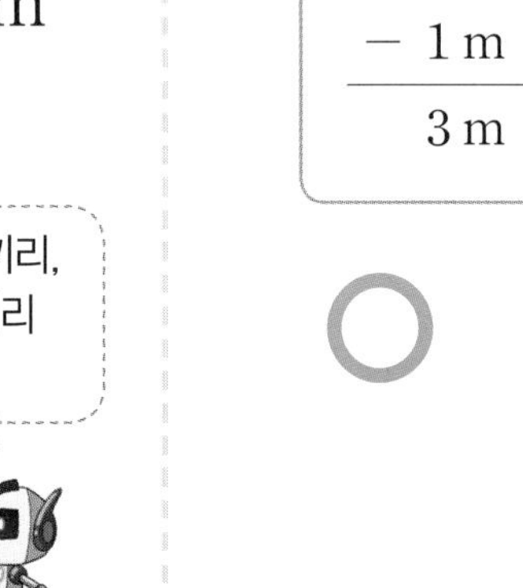

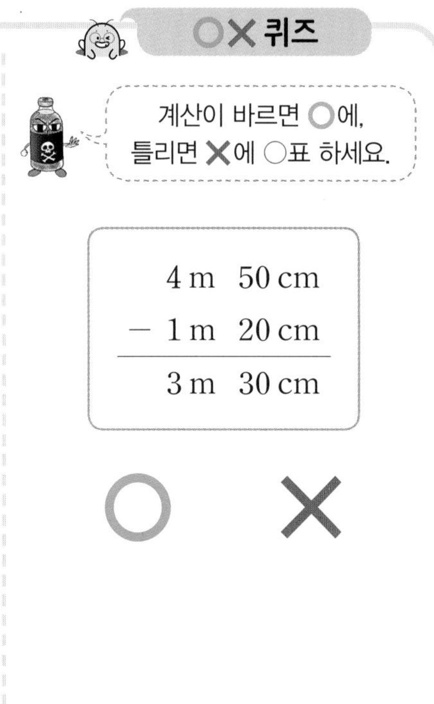

정답 ○에 ○표

똑똑한 계산 연습

▶정답 및 풀이 20쪽

제한 시간 3분

길이의 차를 구하세요.

① 5 m 90 cm − 2 m 30 cm = ☐ m ☐ cm

② 4 m 74 cm − 3 m 12 cm = ☐ m ☐ cm

③

	6	m	52	cm
−	2	m	31	cm
		m		cm

④

	9	m	47	cm
−	5	m	26	cm
		m		cm

⑤

	5	m	68	cm
−	3	m	25	cm
		m		cm

⑥

	7	m	44	cm
−	2	m	12	cm
		m		cm

⑦

	4	m	35	cm
−	1	m	15	cm
		m		cm

⑧

	8	m	53	cm
−	4	m	22	cm
		m		cm

2일 길이의 차 ②

똑똑한 하루 계산법

- **받아내림이 있는 길이의 차**

㉮ 4 m 20 cm − 1 m 40 cm의 계산

	3	100	
	~~4~~ m	20 cm	
−	1 m	40 cm	
	2 m	80 cm	

3−1=2 ← (m)　　(cm) → 100+20−40=80

4 m에서 1 m를 100 cm로 받아내림하여 계산합니다.

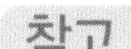
참고

4 m 20 cm − 1 m 40 cm = 3 m 120 cm − 1 m 40 cm
= 2 m 80 cm

OX 퀴즈

계산이 바르면 ○에, 틀리면 ✕에 ○표 하세요.

	4 m	30 cm
−	2 m	40 cm
	1 m	90 cm

정답 ○에 ○표

▶정답 및 풀이 20쪽

똑똑한 계산 연습

제한 시간 4분

길이의 차를 구하세요.

①

	3	m	20	cm
−	1	m	50	cm
		m		cm

②

	5	m	40	cm
−	2	m	60	cm
		m		cm

③

	7	m	30	cm
−	4	m	50	cm
		m		cm

④

	4	m	10	cm
−	1	m	40	cm
		m		cm

⑤

	9	m	43	cm
−	5	m	62	cm
		m		cm

⑥

	8	m	63	cm
−	2	m	81	cm
		m		cm

⑦

	5	m	46	cm
−	2	m	66	cm
		m		cm

⑧

	6	m	33	cm
−	3	m	50	cm
		m		cm

기초 집중 연습

□ 안에 알맞은 수를 써넣으세요.

1-1

	5 m	60 cm
−	3 m	20 cm
	□ m	□ cm

1-2

	7 m	43 cm
−	5 m	10 cm
	□ m	□ cm

□ 안에 알맞은 수를 써넣으세요.

2-1 4 m 55 cm

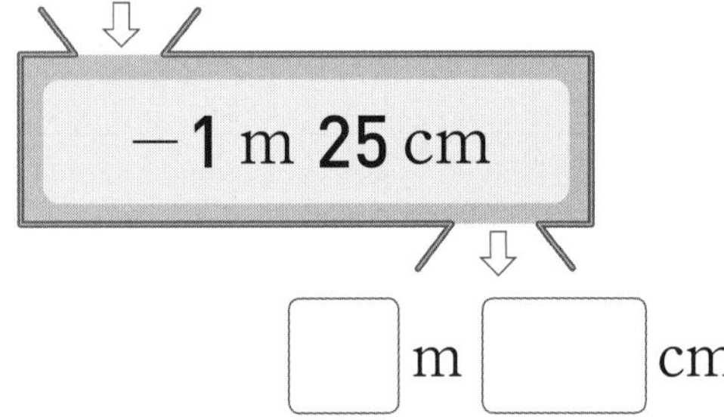

□ m □ cm

2-2 6 m 47 cm

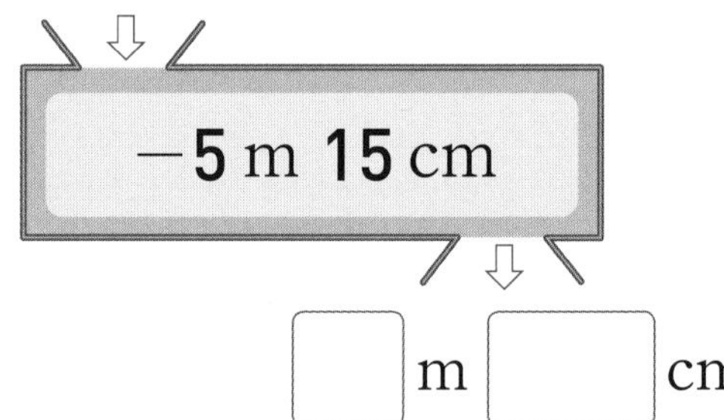

□ m □ cm

2-3 5 m 10 cm

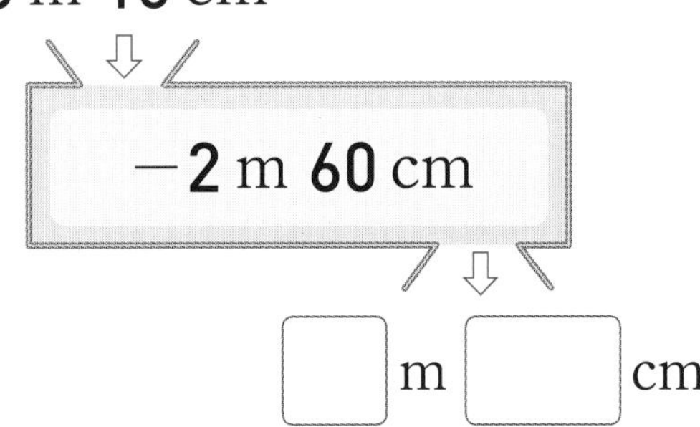

□ m □ cm

2-4 7 m 35 cm

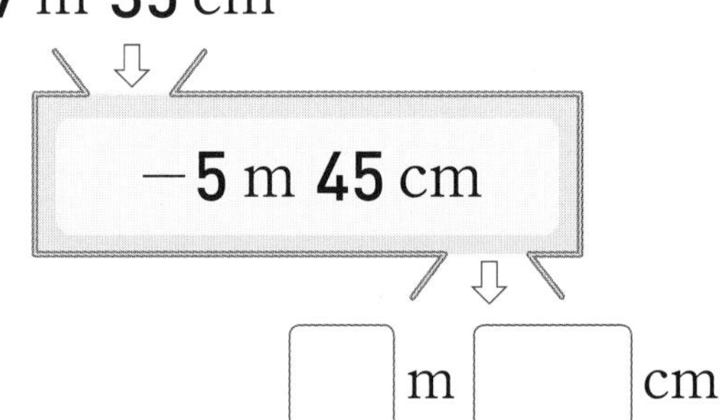

□ m □ cm

제한 시간 8분

생활 속 계산

 친구들이 각자 사용하고 남은 실의 길이를 구하세요.

3-1

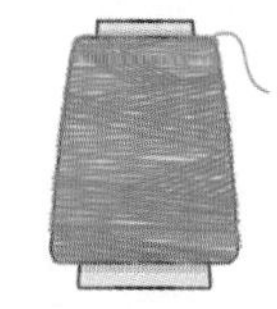
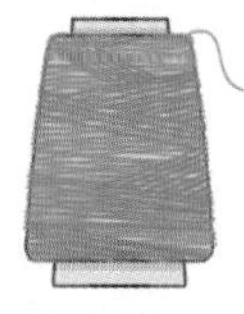

4 m 98 cm

실을 1 m 67 cm 사용했어요.

□ m □ cm

3-2

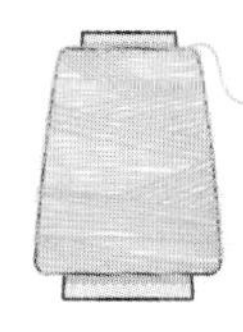

5 m 27 cm

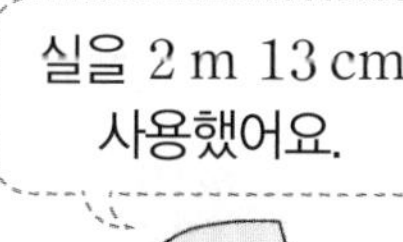

□ m □ cm

3-3

5 m 34 cm

실을 2 m 53 cm 사용했어요.

□ m □ cm

3-4

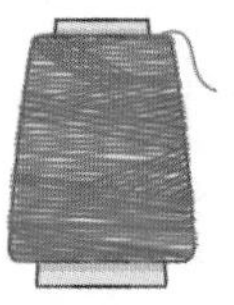

4 m 58 cm

실을 1 m 92 cm 사용했어요.

□ m □ cm

문장 읽고 계산식 세우기

4-1

3 m 75 cm보다 1 m 23 cm 더 짧은 길이는?

식 3 m 75 cm－1 m □ cm

＝□ m □ cm

4-2

5 m 29 cm보다 2 m 58 cm 더 짧은 길이는?

식 5 m 29 cm－2 m □ cm

＝□ m □ cm

4주 2일

시각 읽기

똑똑한 하루 계산법

• **5분 단위 시각 읽기**

시계의 긴바늘이 가리키는 숫자가 **1**이면 **5분**, **2**이면 **10분**, **3**이면 **15분**……을 나타냅니다.

숫자	1	2	3	4	5	6	7	8	9	10	11	12
분	5	10	15	20	25	30	35	40	45	50	55	60

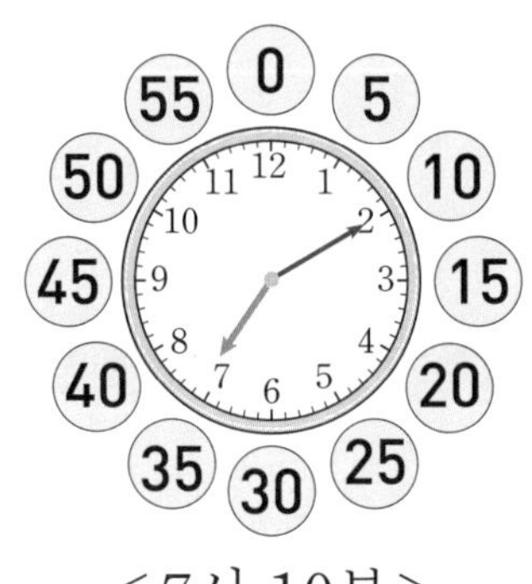

<7시 10분>

• **1분 단위 시각 읽기**

시계의 긴바늘이 가리키는 **작은 눈금 한 칸은 1분**을 나타냅니다.

2(10분)에서 작은 눈금 3칸 더 간 곳을 가리키므로 13분이에요.

<8시 13분>

▶정답 및 풀이 21쪽

똑똑한 계산 연습

제한 시간 3분

 시각을 읽어 보세요.

1

☐ 시 ☐ 분

2

☐ 시 ☐ 분

3

☐ 시 ☐ 분

4

☐ 시 ☐ 분

5

☐ 시 ☐ 분

6

☐ 시 ☐ 분

7

☐ 시 ☐ 분

8

☐ 시 ☐ 분

몇 시 몇 분 전 알아보기

똑똑한 하루 계산법

• 몇 시 몇 분 전 알아보기

짧은바늘이 2와 3 사이를 가리키고, 긴바늘이 11을 가리키므로 2시 55분입니다.

(1) 시계가 나타내는 시각은 **2시 55분**입니다.

(2) 3시가 되려면 5분이 더 지나야 합니다.

(3) 이 시각은 **3시 5분 전**입니다.

2시 55분을 **3시 5분 전**이라고도 합니다.

○✕ 퀴즈

시각을 바르게 읽었으면 ○에, 틀리게 읽었으면 ✕에 ○표 하세요.

4시 5분 전

정답 ○에 ○표

똑똑한 계산 연습

제한 시간 4분

시각을 두 가지 방법으로 읽어 보세요.

1

□시 □분
□시 □분 전

2

□시 □분
□시 □분 전

3

□시 □분
□시 □분 전

4

□시 □분
□시 □분 전

□ 안에 알맞은 수를 써넣으세요.

5 4시 55분은 5시 □분 전입니다.

6 7시 57분은 8시 □분 전입니다.

7 6시 10분 전은 □시 □분 입니다.

8 3시 8분 전은 □시 □분 입니다.

기초 집중 연습

시각에 맞게 긴바늘을 그려 넣으세요.

1-1

2시 5분

1-2

7시 45분

1-3

1시 28분

1-4

2시 13분

시계가 나타내는 시각을 바르게 읽은 것을 찾아 기호를 쓰세요.

2-1

㉠ 7시 55분
㉡ 7시 5분 전
㉢ 6시 5분 전

2-2

㉠ 1시 53분
㉡ 2시 53분
㉢ 1시 7분 전

2-3

㉠ 11시 50분
㉡ 10시 10분 전
㉢ 11시 10분 전

2-4

㉠ 8시 54분
㉡ 8시 6분 전
㉢ 7시 6분 전

제한 시간 8분

생활 속 문제

다음은 민석이가 한 일입니다. 그림을 보고 몇 시 몇 분에 어떤 일을 하였는지 알아보세요.

3-1

민석이가 ☐ 시 ☐ 분에 양치질을 했습니다.

3-2

민석이가 ☐ 시 ☐ 분에 점심을 먹었습니다.

문장 읽고 문제 해결하기

4-1 짧은바늘이 5와 6 사이를, 긴바늘이 8을 가리키는 시각은?

답 ________ 시 ________ 분

4-2 짧은바늘이 1과 2 사이를, 긴바늘이 7에서 작은 눈금 4칸 더 간 곳을 가리키는 시각은?

답 ________ 시 ________ 분

1시간 알아보기

똑똑한 하루 계산법

• 1시간 알아보기

(1) **60분**: 시계의 긴바늘이 한 바퀴
도는 데 걸리는 시간

1시간=60분

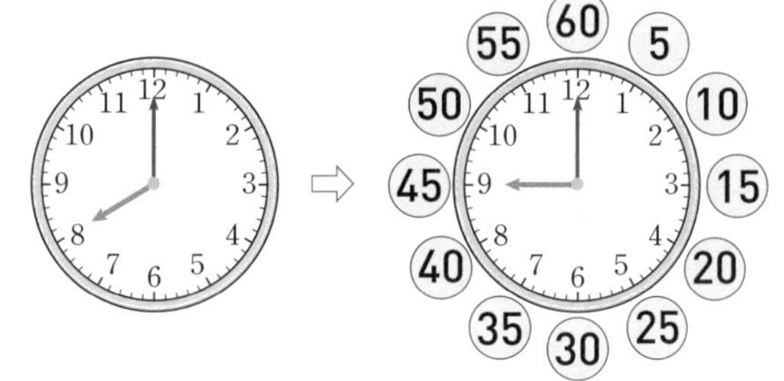

(2) **1**시간 **20**분을 몇 분으로 나타내기

1시간 20분=60분+20분=80분

(3) **70**분을 몇 시간 몇 분으로 나타내기

70분=60분+10분=1시간 10분

▶정답 및 풀이 22쪽

똑똑한 계산 연습

제한 시간 4분

□ 안에 알맞은 수를 써넣으세요.

1 1시간 30분=□분+30분
=□분

2 95분=□분+35분
=□시간 □분

3 1시간 45분=□분+45분
=□분

4 75분=□분+15분
=□시간 □분

5 2시간=1시간+1시간
=60분+□분
=□분

6 100분=60분+□분
=□시간 □분

7 2시간 10분=□분

8 85분=□시간 □분

9 2시간 30분=□분

10 115분=□시간 □분

4일 걸린 시간 알아보기

똑똑한 하루 계산법

• **시계를 보고 걸린 시간 알아보기**

시작한 시각 끝낸 시각

3시 10분 20분 30분 40분 50분 4시 10분 20분 30분 40분 50분 5시

⇨ 걸린 시간은 70분=1시간 10분입니다.

시간 띠에서 1칸은 10분을 나타내.

그럼 시간 띠가 7칸이니까 걸린 시간은 70분이구나.

▶정답 및 풀이 22쪽

똑똑한 계산 연습

제한 시간 3분

시계를 보고 시간이 얼마나 흘렀는지 시간 띠에 나타내어 구하세요.

1

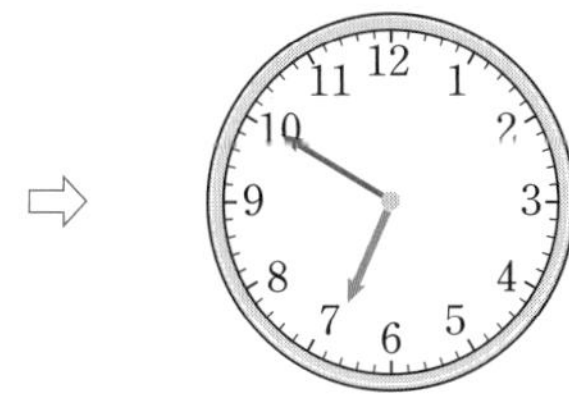

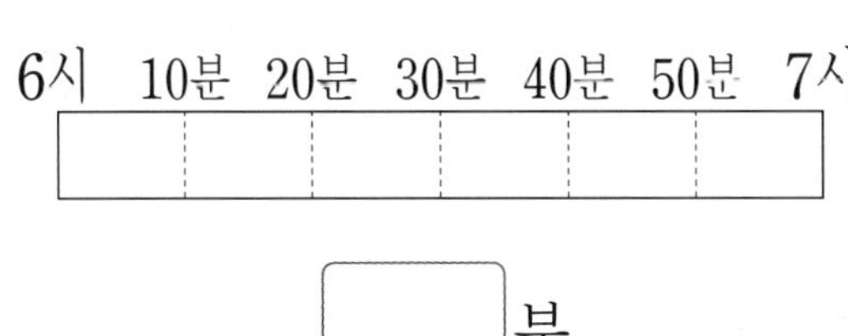

☐분

2

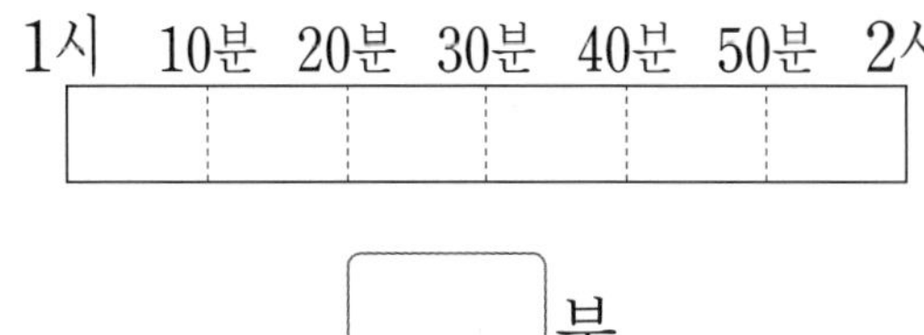

☐분

5시 10분 20분 30분 40분 50분 6시 10분 20분 30분 40분 50분 7시

☐분=☐시간 ☐분

4

3시 10분 20분 30분 40분 50분 4시 10분 20분 30분 40분 50분 5시

☐분=☐시간 ☐분

4주 4일

4일 기초 집중 연습

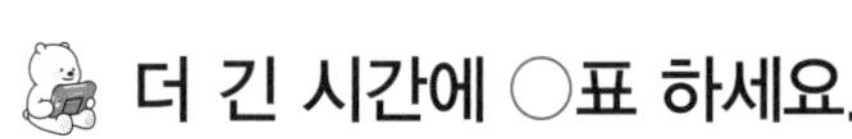

더 긴 시간에 ○표 하세요.

1-1

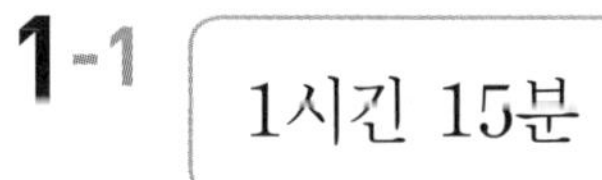

1시긴 15분	70분
☐	☐

1-2

130분	2시간
☐	☐

1-3

110분	1시간 40분
☐	☐

1-4

2시간 20분	150분
☐	☐

시계가 나타내는 시각에서 1시간 후는 몇 시 몇 분인지 구하세요.

2-1

☐시 ☐분

2-2

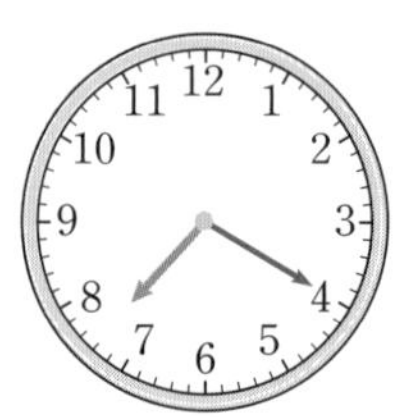

☐시 ☐분

시계가 나타내는 시각에서 20분 후는 몇 시 몇 분인지 구하세요.

3-1

☐시 ☐분

3-2

☐시 ☐분

제한 시간 10분

생활 속 문제

영화표에 적힌 시각을 보고 영화 상영 시간은 몇 시간 몇 분인지 구하세요.

4-1

-영 화 표-

겨울나라

시작하는 시각 2시 30분 ~ 끝나는 시각 3시 50분

□시간 □분

4-2

-영 화 표-

피노키오

시작하는 시각 4시 10분 ~ 끝나는 시각 5시 20분

□시간 □분

4-3

-영 화 표-

백설공주

시작하는 시각 3시 40분 ~ 끝나는 시각 4시 50분

□시간 □분

4-4

-영 화 표-

오즈의 마법사

시작하는 시각 1시 20분 ~ 끝나는 시각 2시 50분

□시간 □분

문장 읽고 문제 해결하기

5-1 1시간 35분 동안 운동을 했습니다. 운동을 한 시간은 몇 분?

답 ________ 분

5-2 65분 동안 책을 읽었습니다. 책을 읽은 시간은 몇 시간 몇 분?

답 ________ 시간 ________ 분

하루의 시간 알아보기

똑똑한 하루 계산법

• 하루의 시간 알아보기

(1) 하루는 **24시간**입니다. ⇨ **1일=24시간**

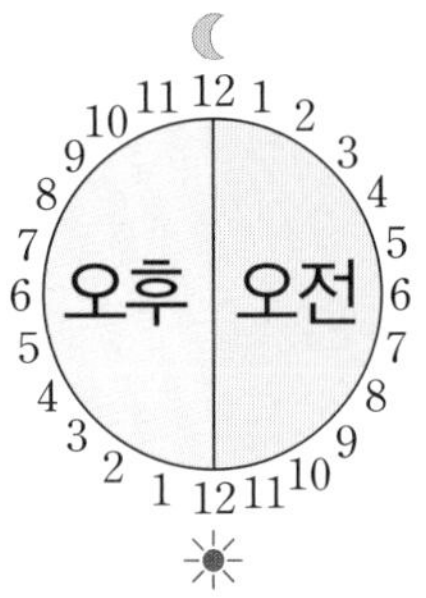

(2) 전날 밤 **12**시부터 낮 **12**시까지를 **오전**, 낮 **12**시부터 밤 **12**시까지를 **오후**라고 합니다.

(3) **1**일 **5**시간을 몇 시간으로 나타내기

1일 5시간=24시간+5시간=29시간

(4) **32**시간을 며칠 몇 시간으로 나타내기

32시간=24시간+8시간=1일 8시간

(clock diagram: 오후 | 오전, 12 1 2 3 4 5 6 7 8 9 10 11 12)

▶정답 및 풀이 23쪽

똑똑한 계산 연습

제한 시간 4분

▢ 안에 알맞은 수를 써넣으세요.

① 1일 8시간=▢시간+8시간
=▢시간

② 27시간=▢시간+3시간
=▢일 3시간

③ 1일 12시간=▢시간+12시간
=▢시간

④ 30시간=▢시간+6시간
=▢일 6시간

⑤ 2일=1일+▢일
=24시간+▢시간
=▢시간

⑥ 52시간=48시간+▢시간
=2일 ▢시간

⑦ 2일 6시간=▢시간

⑧ 38시간=▢일 ▢시간

⑨ 2일 9시간=▢시간

⑩ 55시간=▢일 ▢시간

달력 알아보기

똑똑한 하루 계산법

• **1주일 알아보기**

1주일은 **7일**입니다. ⇨ **1주일=7일**

↳ 일요일, 월요일, 화요일, 수요일, 목요일, 금요일, 토요일

• **1년 알아보기**

(1) **1년**은 **12개월**입니다. ⇨ **1년=12개월**

(2) 각 달의 날수

월	1	2	3	4	5	6	7	8	9	10	11	12
날수(일)	31	28(29)	31	30	31	30	31	31	30	31	30	31

↳ 2월은 보통 28일이지만 4년에 한 번씩 29일이 돼요.

○✕ 퀴즈

나타낸 것이 바르면 ○에, 틀리면 ✕에 ○표 하세요.

1주일 2일=7일+2일
=9일

정답 ○에 ○표

똑똑한 계산 연습

▶정답 및 풀이 23쪽

제한 시간 5분

날수가 같은 달끼리 짝 지은 것에 ○표, 아닌 것에 ×표 하세요.

① 1월 4월 □

② 3월 8월 □

③ 5월 12월 □

□ 안에 알맞은 수를 써넣으세요.

④ **1**주일 **5**일=□일+**5**일
=□일

⑤ **13**일=□일+**6**일
=□주일 **6**일

⑥ **1**년 **8**개월=□개월+**8**개월
=□개월

⑦ **22**개월=□개월+**10**개월
=□년 **10**개월

⑧ **1**주일 **6**일=□일

⑨ **17**일=□주일 □일

⑩ **2**년 **2**개월=□개월

⑪ **28**개월=□년 □개월

기초 집중 연습

관계있는 것끼리 선으로 이으세요.

1-1

2주일 3일 •	• 15일
1주일 6일 •	• 17일
2주일 1일 •	• 13일

1-2

2년 2개월 •	• 22개월
1년 10개월 •	• 26개월
2년 1개월 •	• 25개월

○ 안에 >, =, <를 알맞게 써넣으세요.

2-1 1주일 4일 ○ 12일

2-2 2주일 2일 ○ 16일

2-3 1년 7개월 ○ 15개월

2-4 2년 3개월 ○ 27개월

2-5 1년 9개월 ○ 22개월

2-6 2년 7개월 ○ 30개월

▶정답 및 풀이 23쪽

제한 시간 10분

생활 속 문제

친구들이 세 달 동안 매일 훌라후프를 했습니다. 훌라후프를 한 날은 모두 며칠일까요?

3-1

□ 일

3-2

□ 일

3-3

□ 일

3-4

□ 일

4주 5일

문장 읽고 문제 해결하기

4-1 종민이는 1년 3개월 동안 피아노를 배웠습니다. 피아노를 배운 기간은 몇 개월?

답 ______ 개월

4-2 수정이는 16개월 동안 태권도를 배웠습니다. 태권도를 배운 기간은 몇 년 몇 개월?

답 ______ 년 ______ 개월

누구나 100점 맞는 TEST

계산해 보세요.

❶
```
    2 m 30 cm
+   1 m 25 cm
-------------
    □ m  □ cm
```

❷
```
    5 m 64 cm
+   2 m 78 cm
-------------
    □ m  □ cm
```

❸
```
    4 m 23 cm
+   3 m 92 cm
-------------
    □ m  □ cm
```

❹
```
    7 m 54 cm
−   2 m 32 cm
-------------
    □ m  □ cm
```

❺
```
    9 m 24 cm
−   5 m 60 cm
-------------
    □ m  □ cm
```

❻
```
    8 m 35 cm
−   4 m 53 cm
-------------
    □ m  □ cm
```

시각을 두 가지 방법으로 읽어 보세요.

❼ 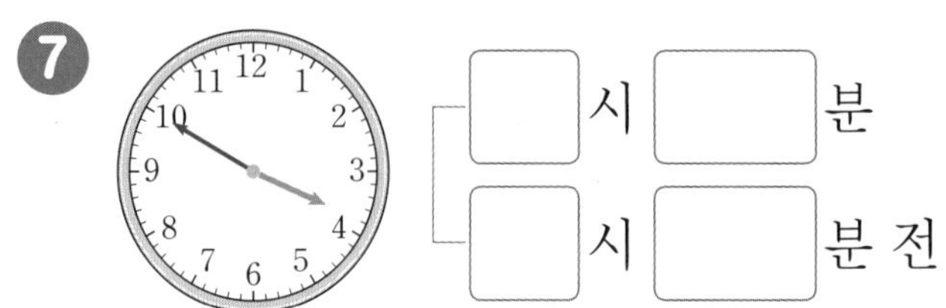

□시 □분
□시 □분 전

❽ 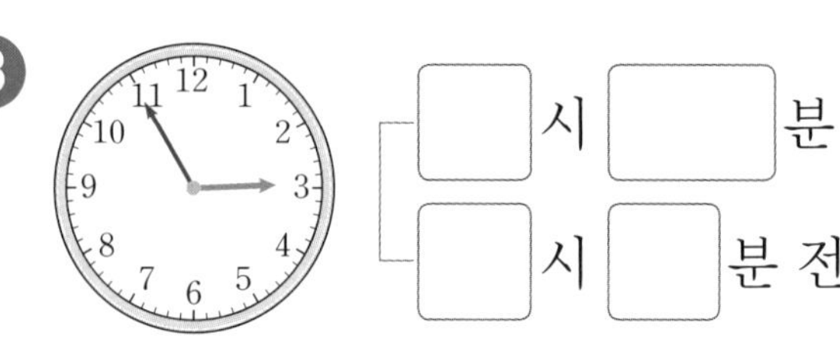

□시 □분
□시 □분 전

❾ 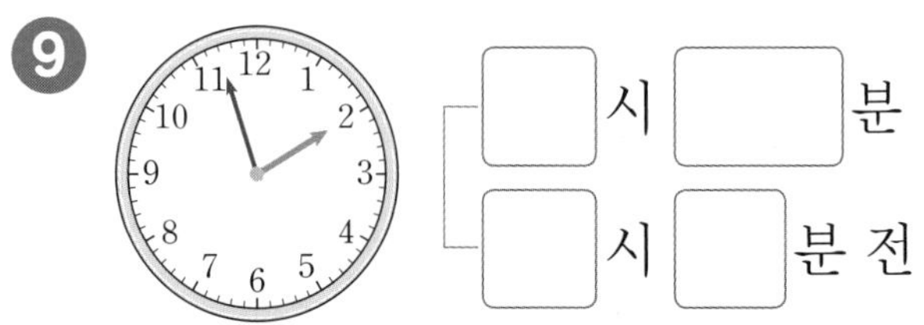

□시 □분
□시 □분 전

❿ 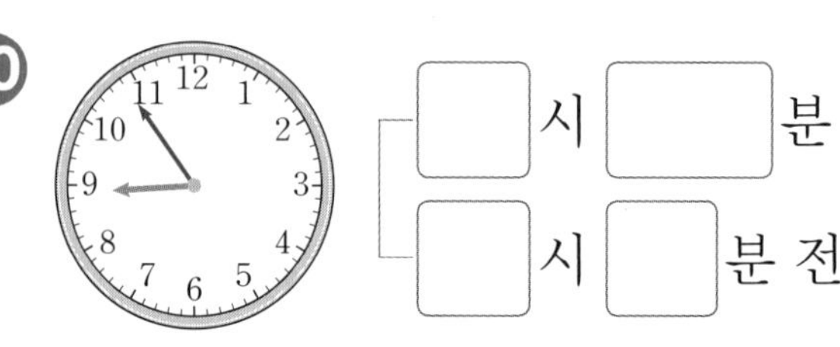

□시 □분
□시 □분 전

▶정답 및 풀이 24쪽

맞은 개수 / 20개

제한 시간 10분

□ 안에 알맞은 수를 써넣으세요.

⑪ 1시간 13분=□분

⑫ 112분=□시간 □분

⑬ 1일 13시간=□시간

⑭ 45시간=□일 □시간

⑮ 2주일 3일=□일

⑯ 19일=□주일 □일

⑰ 1년 9개월=□개월

⑱ 23개월=□년 □개월

시계를 보고 시간이 얼마나 흘렀는지 구하세요.

⑲ ⇨ 

□분

⑳  

□분

제한 시간 안에 정확하게
모두 풀었다면 여러분은 진정한 **계산왕!**

4주 평가

창의 • 융합 • 코딩

등산을 한 시간은?

융합 1 그림 일기를 보고 등산을 한 시간은 몇 시간 몇 분인지 구하세요.

시간 띠에 나타내어 등산을 한 시간을 구해 보자.

시작한 시각 ⇨ 끝낸 시각

1시 10분 20분 30분 40분 50분 2시 10분 20분 30분 40분 50분 3시

답 ______ 시간 ______ 분

▶정답 및 풀이 24쪽

각 달의 날수는?

손을 주먹 쥐면 각 달의 날수를 쉽게 알 수 있습니다.

❶ 맨 오른쪽의 볼록한 부분부터 왼쪽으로 달을 셉니다.

❷ 볼록 튀어나온 부분은 31일, 움푹 들어간 부분은 30일입니다. (2월 제외)

❸ 7월과 8월 이후에는 다시 오른쪽으로 달을 셉니다.

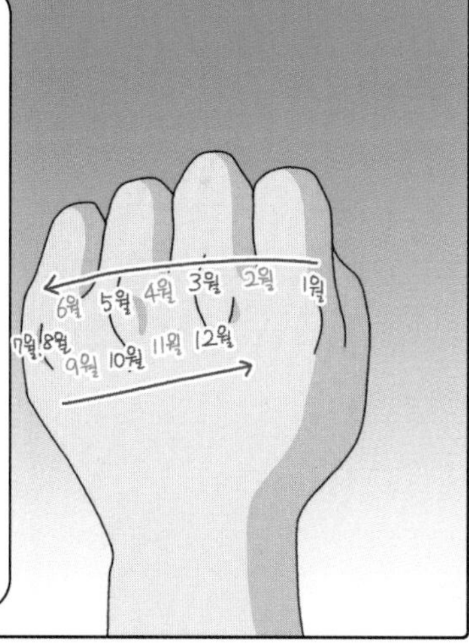

각 달의 날수를 알아보는 방법을 이용하여 표의 빈칸에 알맞은 수를 써넣어보자.

월	1	2	3	4	5	6	7	8	9	10	11	12
날수 (일)		28 (29)										

창의·융합·코딩

 거울에 비친 시계가 다음과 같을 때 이 시계가 나타내는 시각은 몇 시 몇 분일까요?

답 ______ 시 ______ 분

 아래로 내려가다 가로선을 만나면 가로선을 따라가는 방법으로 사다리타기를 하여 시계가 같은 시각을 나타내도록 시계의 긴바늘을 그려 넣으세요.

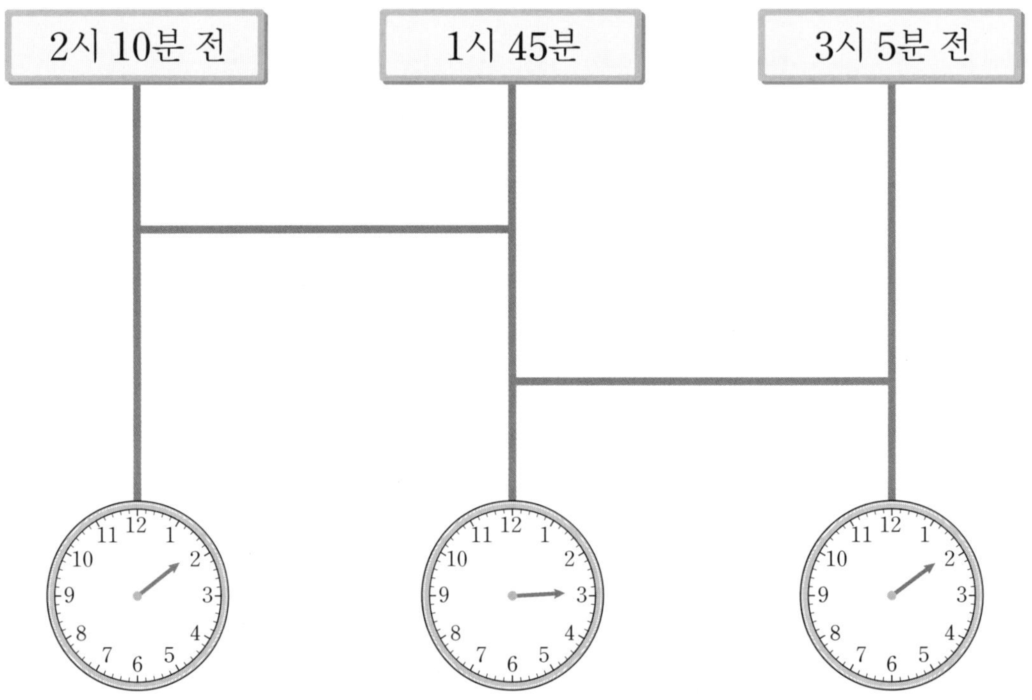

▶정답 및 풀이 24쪽

동물 우리 사이의 거리를 알려주는 동물원 안내도입니다. 물음에 답하세요.

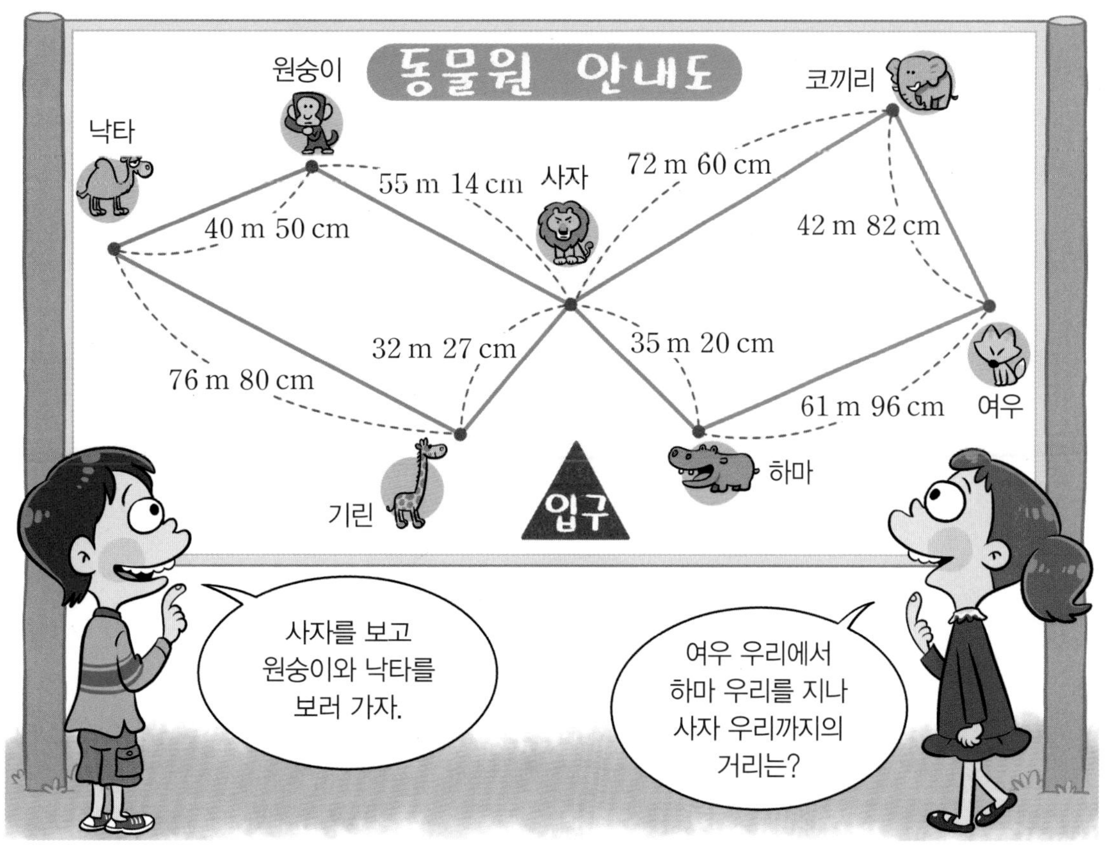

(1) 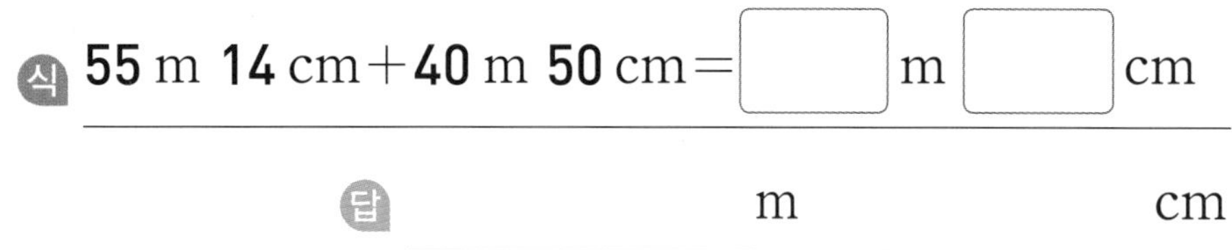 사자 ⇨ 원숭이 ⇨ 낙타의 거리는 몇 m 몇 cm일까요?

식 55 m 14 cm + 40 m 50 cm = ☐ m ☐ cm

답 ______ m ______ cm

(2) 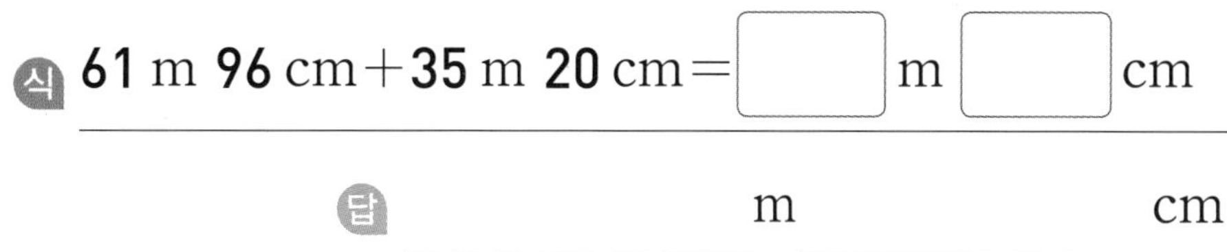 여우 ⇨ 하마 ⇨ 사자의 거리는 몇 m 몇 cm일까요?

식 61 m 96 cm + 35 m 20 cm = ☐ m ☐ cm

답 ______ m ______ cm

4주 특강

특강 창의·융합·코딩

융합 6 석탑은 돌을 이용하여 쌓은 탑입니다. 우리나라 문화재인 다음 석탑의 높이를 보고 물음에 답하세요.

정림사지 오층석탑	금산사 오층석탑
*국보 제9호	*보물 제25호
833 cm	7 m 20 cm

* 국보: 나라에서 지정하여 법률로 보호하는 문화재
* 보물: 대대로 물려오는 귀중한 가치가 있는 문화재

(1) 정림사지 오층석탑의 높이는 몇 m 몇 cm일까요?

100 cm=1 m이므로
800 cm=8 m예요.

답 ______ m ______ cm

(2) 정림사지 오층석탑과 금산사 오층석탑의 높이의 차는 몇 m 몇 cm일까요?

답 ______ m ______ cm

▶정답 및 풀이 24쪽

코딩 7 다음과 같은 화살표 약속 에 따라 시계의 긴바늘을 그려 넣으세요.

약속

→ : 1시간 후 → : 10분 후 → : 20분 후

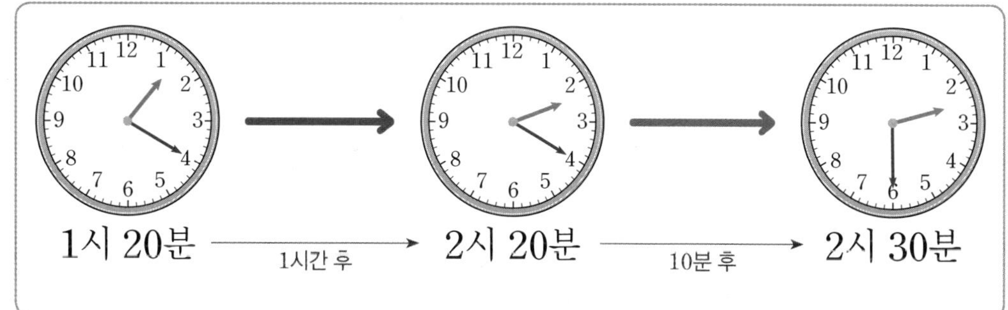

(1)

시계에서 숫자 눈금 한 칸은 5분을 나타냅니다.

(2)

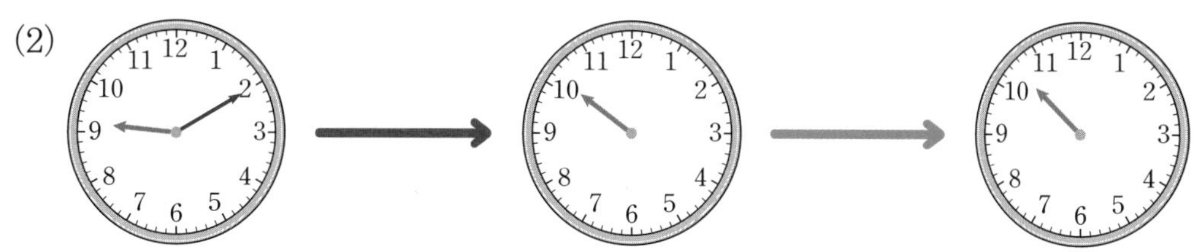

쉽다!

10분이면 하루치 공부를 마칠 수 있는 커리큘럼으로,
아이들이 초등 학습에 쉽고 재미있게 접근할 수 있도록 구성하였습니다.

재미있다!

교과서는 물론 생활 속에서 쉽게 접할 수 있는 다양한 소재와
재미있는 게임 형식의 문제로 흥미로운 학습이 가능합니다.

똑똑하다!

초등학생에게 꼭 필요한 학습 지식 습득은 물론
창의력 확장까지 가능한 교재로 올바른 공부습관을 가지는 데 도움을 줍니다.

정답 및 풀이

똑똑한

하루 계산

초등 수학 2B

2학년 수준

정답 및 풀이 포인트 3가지

▶ 혼자서도 이해할 수 있는 문제 풀이

▶ 자세한 풀이 제시

▶ 참고·주의 등 풍부한 보충 설명

정답 및 풀이

1주 네 자리 수

6~7쪽 1주에 배울 내용을 알아볼까요? ②

1-1 682	1-2 789
1-3 465	1-4 354
2-1 >	2-2 <
2-3 >	2-4 <

1-1 100이 6개 → 600
10이 8개 → 80
1이 2개 → 2
⇨ 682

1-2 100이 7개 → 700
10이 8개 → 80
1이 9개 → 9
⇨ 789

2-1 271 > 127 (2>1)

2-2 693 < 836 (6<8)

2-3 185 > 176 (8>7)

2-4 191 < 194 (1<4)

9쪽 똑똑한 계산 연습

① 1000	② 100
③ 1	④ 500
⑤ 700	⑥ 50
⑦ 10	⑧ 300
⑨ 20	

11쪽 똑똑한 계산 연습

① 4, 4000	② 2, 2000
③ 칠천	④ 6000
⑤ 구천	⑥ 5000
⑦ 사천	⑧ 8000
⑨ 이천	⑩ 3000

① 천 모형이 4개이면 4000입니다.

② 천 모형이 2개이면 2000입니다.

③ 7000 ⇨ 칠천

④ 육천 ⇨ 6000

⑤ 9000 ⇨ 구천

⑥ 오천 ⇨ 5000

⑦ 4000 ⇨ 사천

⑧ 팔천 ⇨ 8000

12~13쪽 기초 집중 연습

1-1 100	1-2 10
2-1 5000, 오천	2-2 7000, 칠천
2-3 8000, 팔천	2-4 9000, 구천
3-1 600	3-2 500
3-3 300	3-4 100
4-1 6000	4-2 8000

1-1 900보다 100만큼 더 큰 수는 1000입니다.

1-2 990보다 10만큼 더 큰 수는 1000입니다.

2-1 천 모형이 5개이므로 5000이라 쓰고 오천이라고 읽습니다.

2-2 천 모형이 7개이므로 7000이라 쓰고 칠천이라고 읽습니다.

3-1 1000은 400보다 600만큼 더 큰 수이므로 600원이 더 필요합니다.

3-2 1000은 500보다 500만큼 더 큰 수이므로 500원이 더 필요합니다.

3-3 1000은 700보다 300만큼 더 큰 수이므로 300원이 더 필요합니다.

3-4 1000은 900보다 100만큼 더 큰 수이므로 100원이 더 필요합니다.

4-1 1000이 6개이면 6000입니다.

4-2 1000이 8개이면 8000입니다.

15쪽 똑똑한 계산 연습

(1) 3675 (2) 4972
(3) 7236 (4) 6158
(5) 8, 9, 1, 4 (6) 9, 2, 3, 3

(1) 1000이 3개 → 3000
100이 6개 → 600
10이 7개 → 70
1이 5개 → 5
⇨ 3675

(2) 1000이 4개 → 4000
100이 9개 → 900
10이 7개 → 70
1이 2개 → 2
⇨ 4972

(3) 1000이 7개 → 7000
100이 2개 → 200
10이 3개 → 30
1이 6개 → 6
⇨ 7236

(4) 1000이 6개 → 6000
100이 1개 → 100
10이 5개 → 50
1이 8개 → 8
⇨ 6158

(5) 1000이 8개 → 8000
100이 9개 → 900
10이 1개 → 10
1이 4개 → 4
⇨ 8914

(6) 1000이 9개 → 9000
100이 2개 → 200
10이 3개 → 30
1이 3개 → 3
⇨ 9233

17쪽 똑똑한 계산 연습

(1) 오천이백삼십일 (2) 사천육백구
(3) 팔천이십오 (4) 삼천칠백팔십
(5) 육천사백이십구 (6) 천육백팔십칠
(7) 칠천육십이 (8) 구천육백오십일
(9) 2003 (10) 5269
(11) 9217 (12) 3082
(13) 5125 (14) 6050

18~19쪽 기초 집중 연습

1-1 3524, 삼천오백이십사
1-2 4238, 사천이백삼십팔
2-1 6, 9, 8, 2 **2-2** 7, 3, 6, 1
2-3 2, 6, 1, 4 **2-4** 9, 1, 7, 3
3-1 3160 **3-2** 1450
3-3 2630 **3-4** 5320
4-1 5732 **4-2** 7593

3-1 1000원짜리 지폐 3장 → 3000원
100원짜리 동전 1개 → 100원
10원짜리 동전 6개 → 60원
⇨ 3160원

3-2 1000원짜리 지폐 1장 → 1000원
100원짜리 동전 4개 → 400원
10원짜리 동전 5개 → 50원
⇨ 1450원

3-3 1000원짜리 지폐 2장 → 2000원
100원짜리 동전 6개 → 600원
10원짜리 동전 3개 → 30원
⇨ 2630원

3-4 1000원짜리 지폐 5장 → 5000원
100원짜리 동전 3개 → 300원
10원짜리 동전 2개 → 20원
⇨ 5320원

4-1 1000이 5개이면 5000, 100이 7개이면 700, 10이 3개이면 30, 1이 2개이면 2이므로 5732입니다.

4-2 1000이 7개이면 7000, 100이 5개이면 500, 10이 9개이면 90, 1이 3개이면 3이므로 7593입니다.

21쪽 똑똑한 계산 연습

① 3, 3, 4, 5	② 2, 4, 1, 6
③ 4, 6, 3, 7	④ 5, 2, 9, 4
⑤ 30	⑥ 200
⑦ 7000, 40	⑧ 8000, 6

⑤ 8 2 3 1

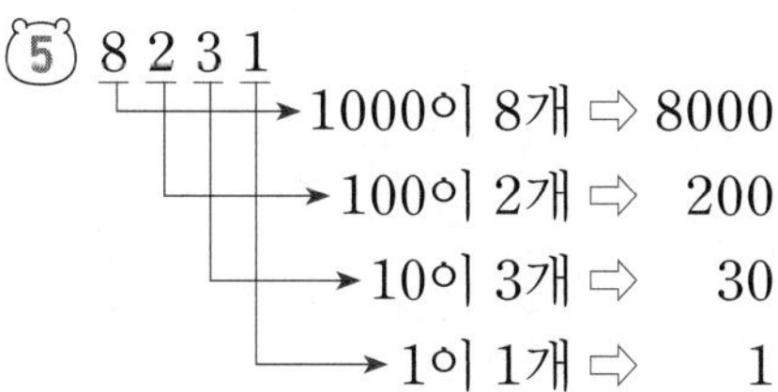

⑥ 6 2 3 4

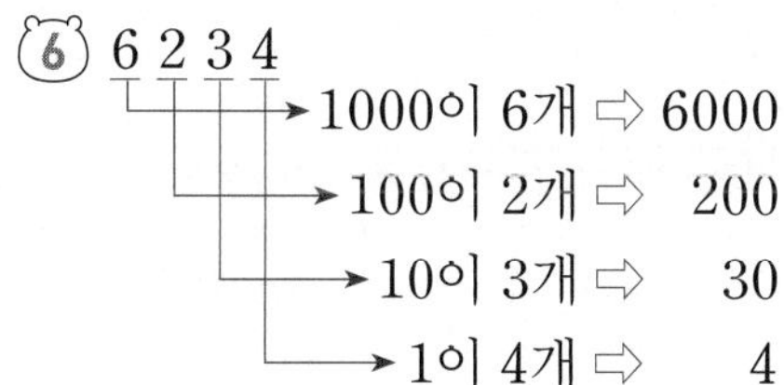

23쪽 똑똑한 계산 연습

① 400	② 7
③ 60	④ 6000
⑤ 700	⑥ 10
⑦ 1000	⑧ 4
⑨ 700	⑩ 7000
⑪ 400	⑫ 20

① 5407 → 백의 자리 숫자, 400

② 6017 → 일의 자리 숫자, 7

③ 3569 → 십의 자리 숫자, 60

④ 6403 → 천의 자리 숫자, 6000

⑤ 4721 → 백의 자리 숫자, 700

⑥ 9215 → 십의 자리 숫자, 10

⑦ 1482 → 천의 자리 숫자, 1000

⑧ 8904 → 일의 자리 숫자, 4

⑨ 3706 → 백의 자리 숫자, 700

⑩ 7491 → 천의 자리 숫자, 7000

⑪ 6475 → 백의 자리 숫자, 400

⑫ 9624 → 십의 자리 숫자, 20

24~25쪽 기초 집중 연습

1-1 백	**1-2** 천
1-3 십	**1-4** 일
2-1 ㉡	**2-2** ㉠
2-3 ㉠	**2-4** ㉠
3-1 8462	**3-2** 4826
3-3 2648	**3-4** 6284
4-1 8463	**4-2** 2751

2-1 ㉠ 2138 ⇨ 100　　**2-2** ㉡ 5310 ⇨ 300

2-3 ㉡ 9350 ⇨ 9000　　**2-4** ㉡ 3094 ⇨ 3000

3-1 8□□□인 버스 번호를 찾으면 8462입니다.

3-2 □□2□인 버스 번호를 찾으면 4826입니다.

3-3 □6□□인 버스 번호를 찾으면 2648입니다.

3-4 □□□4인 버스 번호를 찾으면 6284입니다.

4-1

천의 자리	백의 자리	십의 자리	일의 자리
8	4	6	3

⇨ 8463

4-2

천의 자리	백의 자리	십의 자리	일의 자리
2	7	5	1

⇨ 2751

27쪽 똑똑한 계산 연습

① 3570, 4570, 5570, 6570
② 4045, 5045, 8045
③ 4450, 4650, 4850
④ 3472, 3672, 3872, 3972
⑤ 8558, 8568, 8588
⑥ 6114, 6134, 6154

① 1000씩 뛰어 세면 천의 자리 숫자가 1씩 커집니다.

③ 100씩 뛰어 세면 백의 자리 숫자가 1씩 커집니다.

⑤ 10씩 뛰어 세면 십의 자리 숫자가 1씩 커집니다.

29쪽 똑똑한 계산 연습

① 1000 ② 100
③ 1000 ④ 10
⑤ 100

① 3018 − 4018 − 5018 − 6018 − 7018 − 8018
(+1, +1, +1, +1, +1)
천의 자리 숫자가 1씩 커지고 있으므로 1000씩 뛰어 센 것입니다.

② 7215 − 7315 − 7415 − 7515 − 7615 − 7715
(+1, +1, +1, +1, +1)
백의 자리 숫자가 1씩 커지고 있으므로 100씩 뛰어 센 것입니다.

④ 9341 − 9351 − 9361 − 9371 − 9381 − 9391
(+1, +1, +1, +1, +1)
십의 자리 숫자가 1씩 커지고 있으므로 10씩 뛰어 센 것입니다.

⑤ 6454 − 6554 − 6654 − 6754 − 6854 − 6954
(+1, +1, +1, +1, +1)
백의 자리 숫자가 1씩 커지고 있으므로 100씩 뛰어 센 것입니다.

30~31쪽 기초 집중 연습

1-1 7421, 8421 **1-2** 8621, 8821
1-3 2437, 2447 **1-4** 5472, 5572
2-1 8564 **2-2** 6053
3-1 7520 **3-2** 3660
4-1 6021 **4-2** 6300
4-3 4529 **4-4** 7887

1-1 천의 자리 숫자가 1씩 커집니다.

1-2 백의 자리 숫자가 1씩 커집니다.

1-3 십의 자리 숫자가 1씩 커집니다.

1-4 백의 자리 숫자가 1씩 커집니다.

2-1 백의 자리 숫자가 1씩 커지므로 100씩 뛰어 센 것입니다.
⇨ 8064 − 8164 − 8264 − 8364 − 8464 − 8564 (㉠)

2-2 천의 자리 숫자가 1씩 커지므로 1000씩 뛰어 센 것입니다.
⇨ 1053 − 2053 − 3053 − 4053 − 5053 − 6053 (㉠)

3-1 저금통에 돈이 2520원 들어 있습니다.
2520 − 3520 − 4520 − 5520 − 6520 − 7520
(1번, 2번, 3번, 4번, 5번)
⇨ 1000원씩 5번 넣으면 모두 7520원이 됩니다.

3-2 저금통에 돈이 3260원 들어 있습니다.
3260 − 3360 − 3460 − 3560 − 3660
(1번, 2번, 3번, 4번)
⇨ 100원씩 4번 넣으면 모두 3660원이 됩니다.

4-1 3021 − 4021 − 5021 − 6021
(1번, 2번, 3번)

4-2 6250 − 6260 − 6270 − 6280 − 6290 − 6300
(1번, 2번, 3번, 4번, 5번)

4-3 4524 − 4525 − 4526 − 4527 − 4528 − 4529
(1번, 2번, 3번, 4번, 5번)

4-4 7487 − 7587 − 7687 − 7787 − 7887
(1번, 2번, 3번, 4번)

33쪽 똑똑한 계산 연습

① >	② >
③ <	④ >
⑤ <	⑥ <
⑦ >	⑧ <
⑨ <	⑩ >
⑪ >	⑫ <

① 3010 > 2984 (3>2)

② 5801 > 5081 (8>0)

③ 2308 < 3280 (2<3)

④ 7901 > 7591 (9>5)

⑤ 1945 < 1946 (5<6)

⑥ 1089 < 2040 (1<2)

⑦ 5678 > 5649 (7>4)

⑧ 8859 < 8905 (8<9)

⑨ 3099 < 3922 (0<9)

⑩ 4320 > 4319 (2>1)

⑪ 2114 > 2014 (1>0)

⑫ 7030 < 7129 (0<1)

35쪽 똑똑한 계산 연습

① 8752에 ○표, 4725에 △표
② 3152에 ○표, 2057에 △표
③ 5840에 ○표, 3406에 △표
④ 6583에 ○표, 6174에 △표
⑤ 9261에 ○표, 6026에 △표
⑥ 8417에 ○표, 7229에 △표
⑦ 2738에 ○표, 2425에 △표

① 4725<7269<8752

③ 3406<5748<5840

④ 6174<6217<6583

⑥ 7229<8143<8417

⑦ 2425<2483<2738

36~37쪽 기초 집중 연습

1-1 1972	**1-2** 3502
1-3 5404	**1-4** 2639
2-1 6029	**2-2** 5220
2-3 4264	**2-4** 8215
3-1 <	**3-2** <
3-3 >	**3-4** <
4-1 박물관	**4-2** 놀이동산

1-1 1972 > 1875 (9>8)

1-2 3500 < 3502 (0<2)

1-3 5404 > 5103 (4>1)

1-4 2638 < 2639 (8<9)

2-1 6025<6028<6029

2-2 5210<5218<5220

2-3 2264<3264<4264

2-4 7315<7415<8215

3-1 <
3600원 6100원

3-2 <
2100원 2200원

3-3 >
2100원 1500원

3-4 <
3600원 6900원

4-1 1760<1870이므로 박물관 관람객 수가 더 많습니다.

4-2 1968<2011이므로 놀이동산의 입장객 수가 더 많습니다.

정답 풀이

38~39쪽 누구나 100점 맞는 TEST

❶ 4890 ❷ 3752
❸ 2796 ❹ 6147
❺ 4582 ❻ 1679
❼ 2000, 60 ❽ 5000, 80
❾ 100, 2 ❿ 300, 5
⓫ 400 ⓬ 7000
⓭ 9000 ⓮ 50
⓯ 4542, 4642, 4842 ⓰ 3858, 3958, 4058
⓱ < ⓲ >
⓳ < ⓴ >

❸ 1000이 2개 → 2000
100이 7개 → 700
10이 9개 → 90
1이 6개 → 6
⇨ 2796

❺ 1000이 4개 → 4000
100이 5개 → 500
10이 8개 → 80
1이 2개 → 2
⇨ 4582

❻ 1000이 1개 → 1000
100이 6개 → 600
10이 7개 → 70
1이 9개 → 9
⇨ 1679

⓫ 5478
→ 백의 자리 숫자, 400

⓬ 7643
→ 천의 자리 숫자, 7000

⓮ 8753
→ 십의 자리 숫자, 50

⓯ 백의 자리 숫자가 1씩 커지도록 뛰어 셉니다.

⓰ 백의 자리 숫자가 1씩 커지도록 뛰어 셉니다.

⓱ 9450 < 9816 (4<8)

⓲ 8603 > 8063 (6>0)

⓳ 3680 < 4286 (3<4)

⓴ 1108 > 1095 (1>0)

40~45쪽 특강 창의 · 융합 · 코딩

창의 1 >, >, 쌀
창의 2 1520, 1530, 1540, 1550 ; 1550
창의 3 2000, 3000, 5000
융합 4 천백이십일 창의 5 6900
융합 6

6730, 7730, 6830, 6930, 6940, 7030, 7130, 8330, 7330, 7230

융합 7 프랑스 융합 8 8000
창의 9 컵 창의 10 1237, 1437

창의 3 1000이 2개이면 2000, 1000이 3개이면 3000, 1000이 5개이면 5000입니다.

융합 6 6730부터 100씩 뛰어 세면
6730－6830－6930－7030－7130－7230－7330입니다.

융합 7 5684>5334>4276이므로 프랑스가 가장 많습니다.

융합 8 100장씩 10묶음이면 1000장이므로 한 상자에 들어 있는 김은 1000장입니다.
⇨ 1000장씩 8상자이면 8000장입니다.

창의 9 컵: 1000개씩 5상자 → 5000개
빨대: 100개씩 10상자 → 1000개
페트병: 1000개씩 2상자 → 2000개
⇨ 1000<2000<5000이므로 가장 많이 주운 것은 컵입니다.

창의 10 수현: 백의 자리 숫자가 2인 수는 1235, 1236, 1237이고 이 중에서 일의 자리 숫자가 7인 수는 1237입니다.
정우: 1237－1337－1437 (1번, 2번)

2주 곱셈구구(1)

48~49쪽 2주에 배울 내용을 알아볼까요? ②

1-1 4　　1-2 5
1-3 5　　1-4 6
2-1 덧셈식 3+3+3+3+3=15
곱셈식 3×5=15
2-2 덧셈식 6+6+6+6+6+6=36
곱셈식 6×6=36

1-1 3+3+3+3=12
⇨ 12는 3을 4번 더했으므로 3의 4배입니다.

1-2 3+3+3+3+3=15
⇨ 15는 3을 5번 더했으므로 3의 5배입니다.

1-3 4+4+4+4+4=20
⇨ 20은 4를 5번 더했으므로 4의 5배입니다.

1-4 4+4+4+4+4+4=24
⇨ 24는 4를 6번 더했으므로 4의 6배입니다.

2-1 3씩 5묶음입니다.

2-2 6씩 6묶음입니다.

51쪽 똑똑한 계산 연습

① 2　　② 4
③ 6　　④ 4, 8
⑤ 5, 10　　⑥ 6, 12
⑦ 7, 14　　⑧ 8, 16
⑨ 9, 18

① 2개씩 1묶음 ⇨ 2×1=2

② 2개씩 2묶음 ⇨ 2×2=4

③ 2개씩 3묶음 ⇨ 2×3=6

④ 2개씩 4묶음 ⇨ 2×4=8

⑤ 2개씩 5묶음 ⇨ 2×5=10

⑥ 2개씩 6묶음 ⇨ 2×6=12

⑦ 2개씩 7묶음 ⇨ 2×7=14

⑧ 2개씩 8묶음 ⇨ 2×8=16

⑨ 2개씩 9묶음 ⇨ 2×9=18

53쪽 똑똑한 계산 연습

① 2, 4, 6　　② 10, 12, 14
③ 4, 5, 6　　④ 7, 8, 9
⑤ 8　　⑥ 16
⑦ 10　　⑧ 12
⑨ 14　　⑩ 18

①~④ 2단 곱셈구구에서 곱하는 수가 1씩 커지면 곱은 2씩 커집니다.

참고

×	1	2	3	4	5	6	7	8	9
2	2	4	6	8	10	12	14	16	18

+2 +2 +2 +2 +2 +2 +2 +2

⑤~⑩ 2단 곱셈구구를 이용하여 곱을 구합니다.

54~55쪽 기초 집중 연습

1-1 2, 4　　1-2 3, 6
1-3 5, 10　　1-4 7, 14
2-1 8　　2-2 12
2-3 16　　2-4 18
3-1 6　　3-2 8
3-3 10　　3-4 12
4-1 2, 5, 10　　4-2 2, 8, 16
4-3 2, 7, 14　　4-4 2, 9, 18

1-1 2개씩 2접시이므로 2×2=4입니다.

1-2 2개씩 3접시이므로 2×3=6입니다.

1-3 2개씩 5접시이므로 2×5=10입니다.

1-4 2개씩 7접시이므로 2×7=14입니다.

2-1 $2\times4=8$

2-2 $2\times6=12$

2-3 $2\times8=16$

2-4 $2\times9=18$

3-1 2명씩 3대 ⇨ $2\times3=6$(명)

3-2 2명씩 4대 ⇨ $2\times4=8$(명)

3-3 2명씩 5대 ⇨ $2\times5=10$(명)

3-4 2명씩 6대 ⇨ $2\times6=12$(명)

4-1 2개씩 5봉지 ⇨ $2\times5=10$(개)

4-2 2개씩 8봉지 ⇨ $2\times8=16$(개)

4-3 2개씩 7봉지 ⇨ $2\times7=14$(개)

4-4 2개씩 9봉지 ⇨ $2\times9=18$(개)

57쪽 똑똑한 계산 연습

① 3 ② 6
③ 9 ④ 4, 12
⑤ 5, 15 ⑥ 6, 18
⑦ 7, 21 ⑧ 8, 24
⑨ 9, 27

① 3개씩 1묶음 ⇨ $3\times1=3$

② 3개씩 2묶음 ⇨ $3\times2=6$

③ 3개씩 3묶음 ⇨ $3\times3=9$

④ 3개씩 4묶음 ⇨ $3\times4=12$

⑤ 3개씩 5묶음 ⇨ $3\times5=15$

⑥ 3개씩 6묶음 ⇨ $3\times6=18$

⑦ 3개씩 7묶음 ⇨ $3\times7=21$

⑧ 3개씩 8묶음 ⇨ $3\times8=24$

⑨ 3개씩 9묶음 ⇨ $3\times9=27$

59쪽 똑똑한 계산 연습

① 6, 9, 12 ② 18, 21, 24
③ 4, 5, 6 ④ 7, 8, 9
⑤ 6 ⑥ 12
⑦ 21 ⑧ 18
⑨ 15 ⑩ 24

①~④ 3단 곱셈구구에서 곱하는 수가 1씩 커지면 곱은 3씩 커집니다.

참고

×	1	2	3	4	5	6	7	8	9
3	3	6	9	12	15	18	21	24	27

+3 +3 +3 +3 +3 +3 +3 +3

⑤~⑩ 3단 곱셈구구를 이용하여 곱을 구합니다.

60~61쪽 기초 집중 연습

1-1 3, 9 1-2 4, 12
1-3 6, 18 2-1 6
2-2 15 2-3 24
2-4 27 3-1 3, 9
3-2 5, 15 3-3 7, 21
3-4 9, 27 4-1 3, 2, 6
4-2 3, 4, 12 4-3 3, 6, 18
4-4 3, 8, 24

1-1 3개씩 3묶음 ⇨ $3\times3=9$

1-2 3개씩 4묶음 ⇨ $3\times4=12$

1-3 3개씩 6묶음 ⇨ $3\times6=18$

2-1 $3\times2=6$

2-2 $3\times5=15$

2-3 $3\times8=24$

2-4 $3\times9=27$

3-1 3개씩 3묶음 ⇨ $3\times3=9$(개)

3-2 3개씩 5묶음 ⇨ $3\times5=15$(개)

3-3 3개씩 7묶음 ⇨ 3×7=21(개)

3-4 3개씩 9묶음 ⇨ 3×9=27(개)

4-1 3개씩 2줄 ⇨ 3×2=6(개)

4-2 3개씩 4줄 ⇨ 3×4=12(개)

4-3 3개씩 6줄 ⇨ 3×6=18(개)

4-4 3개씩 8줄 ⇨ 3×8=24(개)

63쪽	똑똑한 계산 연습
① 4	② 8
③ 12	④ 4, 16
⑤ 5, 20	⑥ 6, 24
⑦ 7, 28	⑧ 8, 32
⑨ 9, 36	

① 4개씩 1묶음 ⇨ 4×1=4

② 4개씩 2묶음 ⇨ 4×2=8

③ 4개씩 3묶음 ⇨ 4×3=12

④ 4개씩 4묶음 ⇨ 4×4=16

⑤ 4개씩 5묶음 ⇨ 4×5=20

⑥ 4개씩 6묶음 ⇨ 4×6=24

⑦ 4개씩 7묶음 ⇨ 4×7=28

⑧ 4개씩 8묶음 ⇨ 4×8=32

⑨ 4개씩 9묶음 ⇨ 4×9=36

65쪽	똑똑한 계산 연습
① 8, 12, 16	② 20, 24, 28
③ 1, 2, 3	④ 7, 8, 9
⑤ 16	⑥ 32
⑦ 36	⑧ 12
⑨ 20	⑩ 28

①~④ 4단 곱셈구구에서 곱하는 수가 1씩 커지면 곱은 4씩 커집니다.

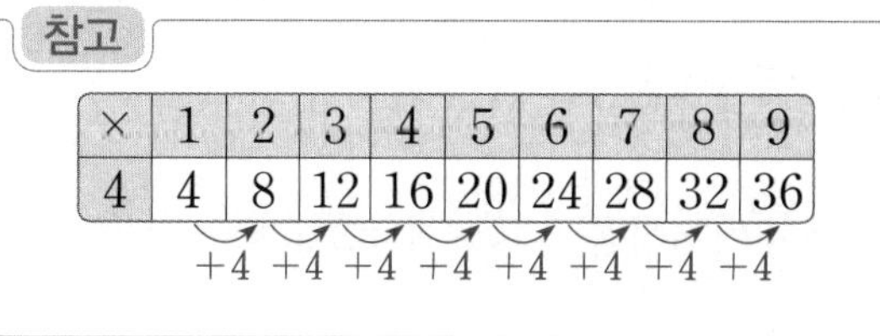

참고

×	1	2	3	4	5	6	7	8	9
4	4	8	12	16	20	24	28	32	36

+4 +4 +4 +4 +4 +4 +4 +4

⑤~⑩ 4단 곱셈구구를 이용하여 곱을 구합니다.

66~67쪽	기초 집중 연습
1-1 2, 8	**1**-2 3, 12
1-3 4, 16	**1**-4 6, 24
2-1 20	**2**-2 28
2-3 32	**2**-4 36
3-1 4, 16	**3**-2 5, 20
3-3 6, 24	**3**-4 9, 36
4-1 4, 2, 8	**4**-2 4, 3, 12
4-3 4, 7, 28	**4**-4 4, 8, 32

1-1 4개씩 2묶음 ⇨ 4×2=8

1-2 4개씩 3묶음 ⇨ 4×3=12

1-3 4개씩 4묶음 ⇨ 4×4=16

1-4 4개씩 6묶음 ⇨ 4×6=24

2-1 4×5=20

2-2 4×7=28

2-3 4×8=32

2-4 4×9=36

3-1 4개씩 4접시 ⇨ 4×4=16(개)

3-2 4개씩 5접시 ⇨ 4×5=20(개)

3-3 4개씩 6접시 ⇨ 4×6=24(개)

3-4 4개씩 9접시 ⇨ 4×9=36(개)

4-1 4개씩 2묶음 ⇨ 4×2=8(개)

4-2 4개씩 3묶음 ⇨ 4×3=12(개)

4-3 4개씩 7묶음 ⇨ 4×7=28(개)

4-4 4개씩 8묶음 ⇨ 4×8=32(개)

69쪽	똑똑한 계산 연습
① 5	② 10
③ 15	④ 4, 20
⑤ 5, 25	⑥ 6, 30
⑦ 7, 35	⑧ 8, 40
⑨ 9, 45	

① 5개씩 1묶음 ⇨ 5×1=5

② 5개씩 2묶음 ⇨ 5×2=10

③ 5개씩 3묶음 ⇨ 5×3=15

④ 5개씩 4묶음 ⇨ 5×4=20

⑤ 5개씩 5묶음 ⇨ 5×5=25

⑥ 5개씩 6묶음 ⇨ 5×6=30

⑦ 5개씩 7묶음 ⇨ 5×7=35

⑧ 5개씩 8묶음 ⇨ 5×8=40

⑨ 5개씩 9묶음 ⇨ 5×9=45

71쪽	똑똑한 계산 연습
① 5, 10, 15	② 35, 40, 45
③ 3, 4, 5	④ 6, 7, 8
⑤ 30	⑥ 20
⑦ 10	⑧ 35
⑨ 45	⑩ 15

①~④ 5단 곱셈구구에서 곱하는 수가 1씩 커지면 곱은 5씩 커집니다.

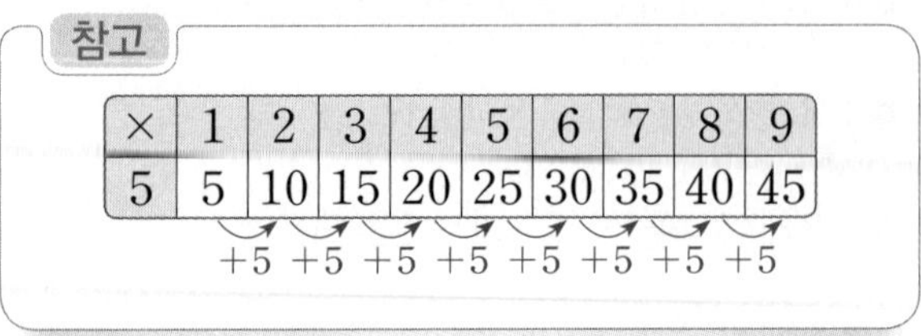

참고

×	1	2	3	4	5	6	7	8	9
5	5	10	15	20	25	30	35	40	45

+5 +5 +5 +5 +5 +5 +5 +5

⑤~⑩ 5단 곱셈구구를 이용하여 곱을 구합니다.

72~73쪽	기초 집중 연습
1-1 1, 5	**1-2** 2, 10
1-3 4, 20	**1-4** 5, 25
2-1 35	**2-2** 40
3-1 35	**3-2** 25
3-3 15	
4-1 5, 2, 10	**4-2** 5, 4, 20
4-3 5, 9, 45	**4-4** 5, 6, 30

1-1 5개씩 1묶음 ⇨ 5×1=5

1-2 5개씩 2묶음 ⇨ 5×2=10

1-3 5개씩 4묶음 ⇨ 5×4=20

1-4 5개씩 5묶음 ⇨ 5×5=25

2-1 5×7=35

2-2 5×8=40

3-1 5개씩 7접시 ⇨ 5×7=35(개)

3-2 5개씩 5접시 ⇨ 5×5=25(개)

3-3 5개씩 3접시 ⇨ 5×3=15(개)

4-1 5마리씩 2개 ⇨ 5×2=10(마리)

4-2 5마리씩 4개 ⇨ 5×4=20(마리)

4-3 5마리씩 9개 ⇨ 5×9=45(마리)

4-4 5마리씩 6개 ⇨ 5×6=30(마리)

75쪽	똑똑한 계산 연습
① 6	② 12
③ 18	④ 4, 24
⑤ 5, 30	⑥ 6, 36
⑦ 7, 42	⑧ 8, 48
⑨ 9, 54	

① 6개씩 1묶음 ⇨ 6×1=6

② 6개씩 2묶음 ⇨ 6×2=12

③ 6개씩 3묶음 ⇨ 6×3=18

④ 6개씩 4묶음 ⇨ 6×4=24

⑤ 6개씩 5묶음 ⇨ 6×5=30

⑥ 6개씩 6묶음 ⇨ 6×6=36

⑦ 6개씩 7묶음 ⇨ 6×7=42

⑧ 6개씩 8묶음 ⇨ 6×8=48

⑨ 6개씩 9묶음 ⇨ 6×9=54

77쪽	똑똑한 계산 연습
① 6, 12, 18	② 24, 30, 36
③ 3, 4, 5	④ 6, 7, 8
⑤ 24	⑥ 48
⑦ 36	⑧ 42
⑨ 54	⑩ 30

①~④ 6단 곱셈구구에서 곱하는 수가 1씩 커지면 곱은 6씩 커집니다.

참고

×	1	2	3	4	5	6	7	8	9
6	6	12	18	24	30	36	42	48	54

+6 +6 +6 +6 +6 +6 +6 +6

⑤~⑩ 6단 곱셈구구를 이용하여 곱을 구합니다.

78~79쪽	기초 집중 연습
1-1 5, 30	1-2 6, 36
2-1 12	2-2 18
2-3 24	2-4 42
2-5 48	2-6 54
3-1 18	3-2 42
3-3 48	3-4 54
4-1 6, 4, 24	4-2 6, 2, 12
4-3 6, 5, 30	4-4 6, 6, 36

1-1 6개씩 5묶음 ⇨ 6×5=30

1-2 6개씩 6묶음 ⇨ 6×6=36

2-1 6×2=12

2-2 6×3=18

2-3 6×4=24

2-4 6×7=42

2-5 6×8=48

2-6 6×9=54

3-1 6개씩 3통 ⇨ 6×3=18(개)

3-2 6개씩 7통 ⇨ 6×7=42(개)

3-3 6개씩 8통 ⇨ 6×8=48(개)

3-4 6개씩 9통 ⇨ 6×9=54(개)

4-1 육각형 1개의 변은 6개입니다.

4-3 육각형 1개의 꼭짓점은 6개입니다.

참고

육각형 1개의 꼭짓점은 6개이고 변은 6개입니다.

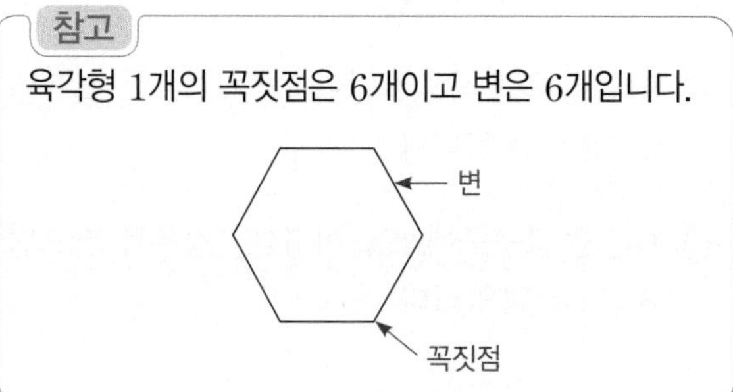

정답
풀이

80~81쪽 누구나 100점 맞는 TEST

① 8	② 12
③ 12	④ 15
⑤ 24	⑥ 32
⑦ 20	⑧ 30
⑨ 30	⑩ 42
⑪ 7	⑫ 8
⑬ 8	⑭ 9
⑮ 4	⑯ 7
⑰ 9	⑱ 8
⑲ 8	⑳ 9

⑪ 2단 곱셈구구에서 곱이 14인 경우를 찾으면 $2\times7=14$입니다.

⑫ 2단 곱셈구구에서 곱이 16인 경우를 찾으면 $2\times8=16$입니다.

⑬ 3단 곱셈구구에서 곱이 24인 경우를 찾으면 $3\times8=24$입니다.

⑭ 3단 곱셈구구에서 곱이 27인 경우를 찾으면 $3\times9=27$입니다.

⑮ 4단 곱셈구구에서 곱이 16인 경우를 찾으면 $4\times4=16$입니다.

⑯ 4단 곱셈구구에서 곱이 28인 경우를 찾으면 $4\times7=28$입니다.

⑰ 5단 곱셈구구에서 곱이 45인 경우를 찾으면 $5\times9=45$입니다.

⑱ 5단 곱셈구구에서 곱이 40인 경우를 찾으면 $5\times8=40$입니다.

⑲ 6단 곱셈구구에서 곱이 48인 경우를 찾으면 $6\times8=48$입니다.

⑳ 6단 곱셈구구에서 곱이 54인 경우를 찾으면 $6\times9=54$입니다.

82~87쪽 특강 창의 · 융합 · 코딩

창의 1 (위부터) 21, 24, 30, 20 ; 뭉치

융합 2 (위부터) 10, 15, 32, 21, 24, 35, 27
방, 귀, 반, 뀌, 는, 나, 무 ; 뽕나무

창의 3 (위부터) ㉤, ㉥, ㉢, ㉡

창의 4

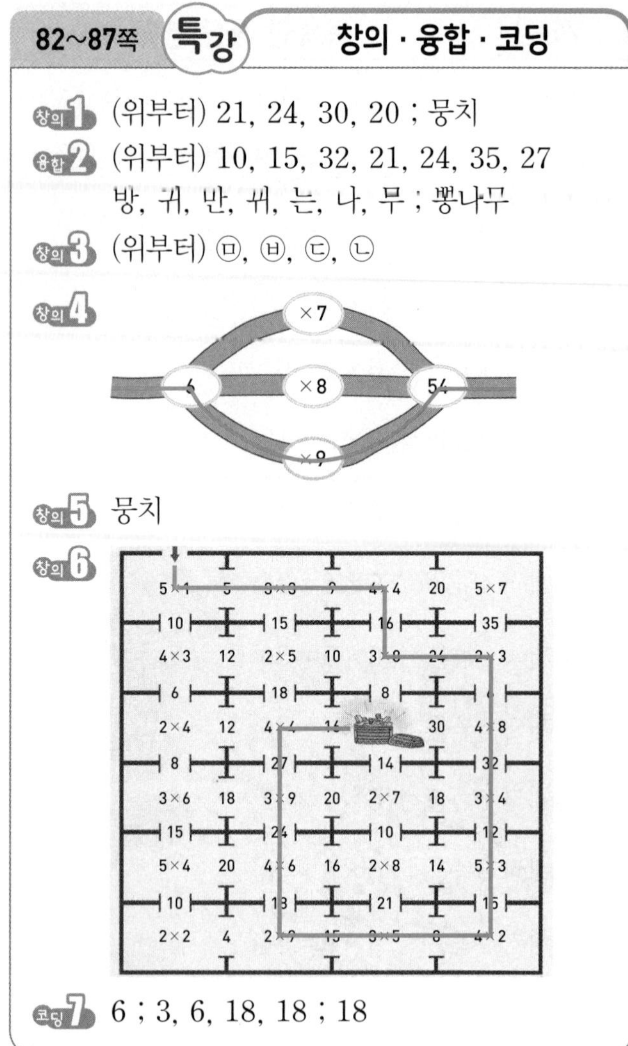

창의 5 뭉치

창의 6

코딩 7 6 ; 3, 6, 18, 18 ; 18

창의 3 • $4\times8=32$
• $5\times8=40$
• $3\times9=27$
• $6\times7=42$

창의 4 $6\times9=54$

창의 5 효리: 5를 7번 더해서 구해야 합니다.
누리: 5씩 7묶음이므로 5×6에 5를 더해서 구해야 합니다.

코딩 7

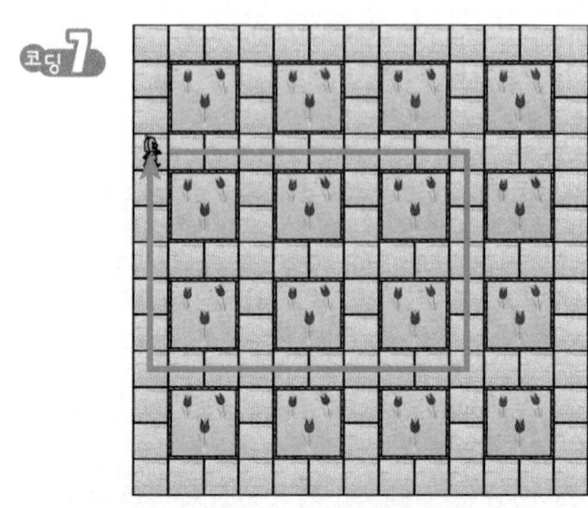

3주 곱셈구구(2), 길이의 합과 차(1)

90~91쪽 3주에 배울 내용을 알아볼까요? ②

1-1 15
1-2 28, 36
1-3 15, 20
1-4 36, 42
2-1 3, 3
2-2 5, 5
2-3 8, 8

1-1 $3\times5=15$

1-2 $4\times7=28$, $4\times9=36$

1-3 $5\times3=15$, $5\times4=20$

1-4 $6\times6=36$, $6\times7=42$

2-1 1 cm가 ■번 ⇨ ■ cm

93쪽 똑똑한 계산 연습

① 7
② 14
③ 21
④ 4, 28
⑤ 5, 35
⑥ 6 , 42
⑦ 7, 49
⑧ 8, 56
⑨ 9, 63

① 콩깍지 한 개에 콩이 7개씩 들어 있습니다.
7개씩 1묶음 ⇨ $7\times1=7$

② 7개씩 2묶음 ⇨ $7\times2=14$

③ 7개씩 3묶음 ⇨ $7\times3=21$

④ 7개씩 4묶음 ⇨ $7\times4=28$

⑤ 7개씩 5묶음 ⇨ $7\times5=35$

⑥ 7개씩 6묶음 ⇨ $7\times6=42$

⑦ 7개씩 7묶음 ⇨ $7\times7=49$

⑧ 7개씩 8묶음 ⇨ $7\times8=56$

⑨ 7개씩 9묶음 ⇨ $7\times9=63$

95쪽 똑똑한 계산 연습

① 7, 14, 21
② 42, 49, 56
③ 3, 4, 5
④ 7, 8, 9
⑤ 35
⑥ 14
⑦ 28
⑧ 49
⑨ 42
⑩ 63

① 7단 곱셈구구에서 곱하는 수가 1씩 커지면 곱은 7씩 커집니다.

⑤ 7단 곱셈구구를 이용하여 곱을 구합니다.

96~97쪽 기초 집중 연습

1-1 21
1-2 6, 42
1-3 8, 56
2-1 28
2-2 7
2-3 49
2-4 63
3-1 14
3-2 5, 35
3-3 4, 28
3-4 7, 49
4-1 6, 42
4-2 7, 8, 56

1-1 크레파스가 7개씩 3묶음입니다. ⇨ $7\times3=21$

2-1 $7\times4=28$

2-2 $7\times1=7$

2-3 $7\times7=49$

2-4 $7\times9=63$

3-1 7개씩 2봉지 ⇨ $7\times2=14$(개)

3-2 7개씩 5봉지 ⇨ $7\times5=35$(개)

3-3 7개씩 4봉지 ⇨ $7\times4=28$(개)

3-4 7개씩 7봉지 ⇨ $7\times7=49$(개)

4-1 (꽃병 6개에 꽂혀 있는 장미 수)
=(꽃병 한 개에 꽂혀 있는 장미 수)×6
$=7\times6=42$(송이)

4-2 (연필꽂이 8개에 꽂혀 있는 연필 수)
=(연필꽂이 한 개에 꽂혀 있는 연필 수)×8
=7×8=56(자루)

99쪽	똑똑한 계산 연습
① 8	② 16
③ 24	④ 4, 32
⑤ 5, 40	⑥ 6, 48
⑦ 7, 56	⑧ 8, 64
⑨ 9, 72	

① 꽃 한 송이에 꽃잎이 8장씩입니다.
8장씩 1송이 ⇨ 8×1=8

② 8장씩 2송이 ⇨ 8×2=16

③ 8장씩 3송이 ⇨ 8×3=24

④ 8장씩 4송이 ⇨ 8×4=32

⑤ 8장씩 5송이 ⇨ 8×5=40

⑥ 8장씩 6송이 ⇨ 8×6=48

⑦ 8장씩 7송이 ⇨ 8×7=56

⑧ 8장씩 8송이 ⇨ 8×8=64

⑨ 8장씩 9송이 ⇨ 8×9=72

101쪽	똑똑한 계산 연습
① 16, 24, 32	② 56, 64, 72
③ 1, 2, 3	④ 5, 6, 7
⑤ 24	⑥ 8
⑦ 48	⑧ 72
⑨ 64	⑩ 32

① 8단 곱셈구구에서 곱하는 수가 1씩 커지면 곱은 8씩 커집니다.

⑤ 8단 곱셈구구를 이용하여 곱을 구합니다.

102~103쪽	기초 집중 연습
1-1 24	1-2 4, 32
1-3 6, 48	
2-1 8	2-2 56
2-3 72	2-4 40
3-1 16	3-2 8, 64
3-3 4, 32	3-4 8, 7, 56
4-1 6, 48	4-2 8, 9, 72

1-1 금붕어가 8마리씩 3묶음입니다. ⇨ 8×3=24

2-1 8×1=8

2-2 8×7=56

2-3 8×9=72

2-4 8×5=40

3-1 8개씩 2마리 ⇨ 8×2=16(개)

3-2 8개씩 8마리 ⇨ 8×8=64(개)

3-3 8개씩 4마리 ⇨ 8×4=32(개)

3-4 8개씩 7마리 ⇨ 8×7=56(개)

4-1 (6판에 들어 있는 만두 수)
=(한 판에 들어 있는 만두 수)×6
=8×6=48(개)

4-2 (9상자에 들어 있는 닭다리 수)
=(한 상자에 들어 있는 닭다리 수)×9
=8×9=72(조각)

105쪽	똑똑한 계산 연습
① 9	② 18
③ 27	④ 4, 36
⑤ 5, 45	⑥ 6, 54
⑦ 7, 63	⑧ 8, 72
⑨ 9, 81	

① 색 테이프가 9개씩 묶여 있습니다.
9개씩 1묶음 ⇨ $9\times1=9$

② 9개씩 2묶음 ⇨ $9\times2=18$

③ 9개씩 3묶음 ⇨ $9\times3=27$

④ 9개씩 4묶음 ⇨ $9\times4=36$

⑤ 9개씩 5묶음 ⇨ $9\times5=45$

⑥ 9개씩 6묶음 ⇨ $9\times6=54$

⑦ 9개씩 7묶음 ⇨ $9\times7=63$

⑧ 9개씩 8묶음 ⇨ $9\times8=72$

⑨ 9개씩 9묶음 ⇨ $9\times9=81$

107쪽 똑똑한 계산 연습

① 9, 18, 27	② 63, 72, 81
③ 3, 4, 5	④ 6, 7, 8
⑤ 18	⑥ 45
⑦ 36	⑧ 54
⑨ 81	⑩ 63

① 9단 곱셈구구에서 곱하는 수가 1씩 커지면 곱은 9씩 커집니다.

⑤ 9단 곱셈구구를 이용하여 곱을 구합니다.

108~109쪽 기초 집중 연습

1-1 36	1-2 5, 45
1-3 7, 63	
2-1 27	2-2 9
2-3 54	2-4 72
3-1 45	3-2 6, 54
3-3 72	3-4 9, 81
4-1 2, 18	4-2 9, 7, 63

1-1 하트 퍼즐이 9조각씩 4개입니다. ⇨ $9\times4=36$

2-1 $9\times3=27$

2-2 $9\times1=9$

2-3 $9\times6=54$

2-4 $9\times8=72$

3-1 9 cm짜리 변이 5개입니다. ⇨ $9\times5=45$ (cm)

참고

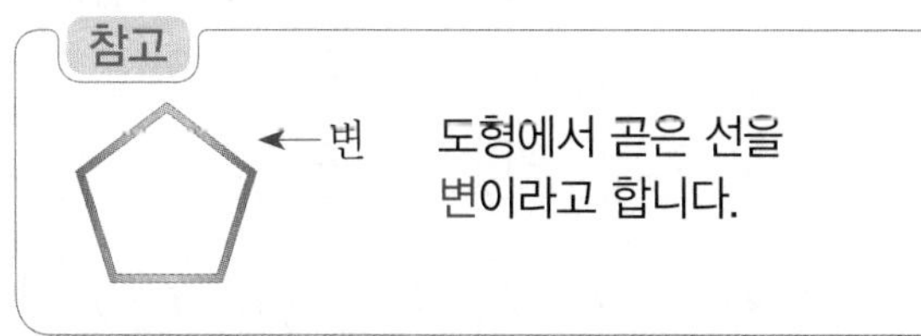

도형에서 곧은 선을 변이라고 합니다.

3-2 9 cm짜리 변이 6개입니다. ⇨ $9\times6=54$ (cm)

3-3 9 cm짜리 변이 8개입니다. ⇨ $9\times8=72$ (cm)

3-4 9 cm짜리 변이 9개입니다. ⇨ $9\times9=81$ (cm)

4-1 (초콜릿 수)=(사탕 수)×2
=9×2=18(개)

4-2 (사과 주스 수)=(포도 주스 수)×7
=9×7=63(병)

111쪽 똑똑한 계산 연습

① 5	② 6, 0
③ 4	④ 6
⑤ 9	⑥ 7
⑦ 3	⑧ 8
⑨ 0	⑩ 0
⑪ 0	⑫ 0
⑬ 0	⑭ 0

① 한 접시에 컵케이크가 1개씩 5접시이므로 $1\times5=5$입니다.

② 빈 접시가 6개이므로 $0\times6=0$입니다.

③ 1×(어떤 수)=(어떤 수)

⑥ (어떤 수)×1=(어떤 수)

⑨ 0×(어떤 수)=0

⑫ (어떤 수)×0=0

정답
풀이

113쪽 똑똑한 계산 연습

① 21 ; 7, 21 ② 4, 20 ; 5, 20

③

×	2	3	4	5
1	2	3	4	5
2	4	6	8	10
3	6	9	12	15
4	8	12	16	20

④

×	3	4	5	6
3	9	12	15	18
4	12	16	20	24
5	15	20	25	30
6	18	24	30	36

⑤

×	4	5	6	7
5	20	25	30	35
6	24	30	36	42
7	28	35	42	49
8	32	40	48	56

⑥

×	6	7	8	9
6	36	42	48	54
7	42	49	56	63
8	48	56	64	72
9	54	63	72	81

① 한 줄에 7개씩 3줄이므로 7×3=21이고,
한 줄에 3개씩 7줄이므로 3×7=21입니다.

② 한 줄에 5개씩 4줄이므로 5×4=20이고,
한 줄에 4개씩 5줄이므로 4×5=20입니다.

114~115쪽 기초 집중 연습

1-1 12 ; 12 **1-2** 28 ; 28
1-3 24 ; 8 **1-4** 9 ; 45

2

×	2	3	4	5	6	7	8	9
2	4	6	8	10	12	14	16	18
3	6	9	12	15	18	21	24	27
4	8	12	16	20	24	28	32	36
5	10	15	20	25	30	35	40	45
6	12	18	24	30	36	42	48	54
7	14	21	28	35	42	49	56	63
8	16	24	32	40	48	56	64	72
9	18	27	36	45	54	63	72	81

3-1 5, 5 **3-2** 0, 8, 0
3-3 6, 1, 6
4-1 3, 3 **4-2** 7, 1, 7
4-3 2, 0 **4-4** 0, 9, 0

1-1 곱셈에서 곱하는 두 수의 순서를 바꾸어도 곱이 같습니다.

2 노란색: 3×5=15, 5×3=15
초록색: 4×8=32, 8×4=32
파란색: 6×7=42, 7×6=42

3-1 1×(어떤 수)=(어떤 수)

3-2 0×(어떤 수)=0

3-3 (어떤 수)×1=(어떤 수)

4-1 ■와 ▲의 곱 ⇨ ■×▲

117쪽 똑똑한 계산 연습

① 7 미터 ② 4 미터 80 센티미터
③ 9 미터 20 센티미터
④ 2 미터 ⑤ 5 미터
⑥ 1 미터 48 센티미터
⑦ 3 미터 50 센티미터

119쪽 똑똑한 계산 연습

① 1, 70 ② 300, 3, 60
③ 5, 10 ④ 2, 40
⑤ 6, 29 ⑥ 7, 5
⑦ 600, 670 ⑧ 200, 290
⑨ 420 ⑩ 530
⑪ 748 ⑫ 906

③ 510 cm=500 cm+10 cm
=5 m 10 cm

④ 240 cm=200 cm+40 cm
=2 m 40 cm

⑤ 629 cm=600 cm+29 cm
=6 m 29 cm

⑥ 705 cm=700 cm+5 cm
=7 m 5 cm

⑨ 4 m 20 cm=400 cm+20 cm
=420 cm

⑩ 5 m 30 cm=500 cm+30 cm
=530 cm

⑪ 7 m 48 cm=700 cm+48 cm
=748 cm

⑫ 9 m 6 cm=900 cm+6 cm
=906 cm

120~121쪽 **기초 집중 연습**

1-1 cm **1-2** m
1-3 m
2-1 (선 잇기)
2-2 (선 잇기)
3-1 < **3-2** =
3-3 < **3-4** >
4-1 5, 26 **4-2** 3, 70
4-3 2, 15 **4-4** 1, 48
5-1 300 **5-2** 272

1-1 일반적인 길이를 생각하여 단위를 씁니다.

2-1 • 250 cm=200 cm+50 cm
=2 m 50 cm
• 205 cm=200 cm+5 cm
=2 m 5 cm

2-2 • 8 m 31 cm=800 cm+31 cm
=831 cm
• 8 m 13 cm=800 cm+13 cm
=813 cm

3-1 400 cm=4 m
⇨ 4 m<5 m이므로 400 cm<5 m입니다.

3-2 7 m=700 cm

3-3 192 cm=1 m 92 cm
⇨ 1 m 92 cm<19 m 2 cm이므로
192 cm<19 m 2 cm입니다.

3-4 6 m 30 cm=630 cm
⇨ 630 cm>603 cm이므로
6 m 30 cm>603 cm입니다.

4-1 526 cm=500 cm+26 cm
=5 m 26 cm

4-2 370 cm=300 cm+70 cm
=3 m 70 cm

4-3 215 cm=200 cm+15 cm
=2 m 15 cm

4-4 148 cm=100 cm+48 cm
=1 m 48 cm

5-1 1 m=100 cm이므로 3 m=300 cm입니다.

5-2 2 m 72 cm=200 cm+72 cm
=272 cm

122~123쪽 **누구나 100점 맞는 TEST**

❶ 21 ❷ 9
❸ 0 ❹ 16
❺ 56 ❻ 5
❼ 27 ❽ 42
❾ 28 ❿ 0
⓫ 72 ⓬ 40

⓭

×	2	3	4	5
2	4	6	8	10
3	6	9	12	15
4	8	12	16	20
5	10	15	20	25

⓮

×	6	7	8	9
6	36	42	48	54
7	42	49	56	63
8	48	56	64	72
9	54	63	72	81

⓯ 6 ⓰ 900
⓱ 1, 85 ⓲ 240
⓳ 7, 7 ⓴ 836

정답
풀이

⑰ 185 cm=100 cm+85 cm
=1 m 85 cm

⑱ 2 m 40 cm=200 cm+40 cm
=240 cm

⑲ 707 cm=700 cm+7 cm
=7 m 7 cm

⑳ 8 m 36 cm=800 cm+36 cm
=836 cm

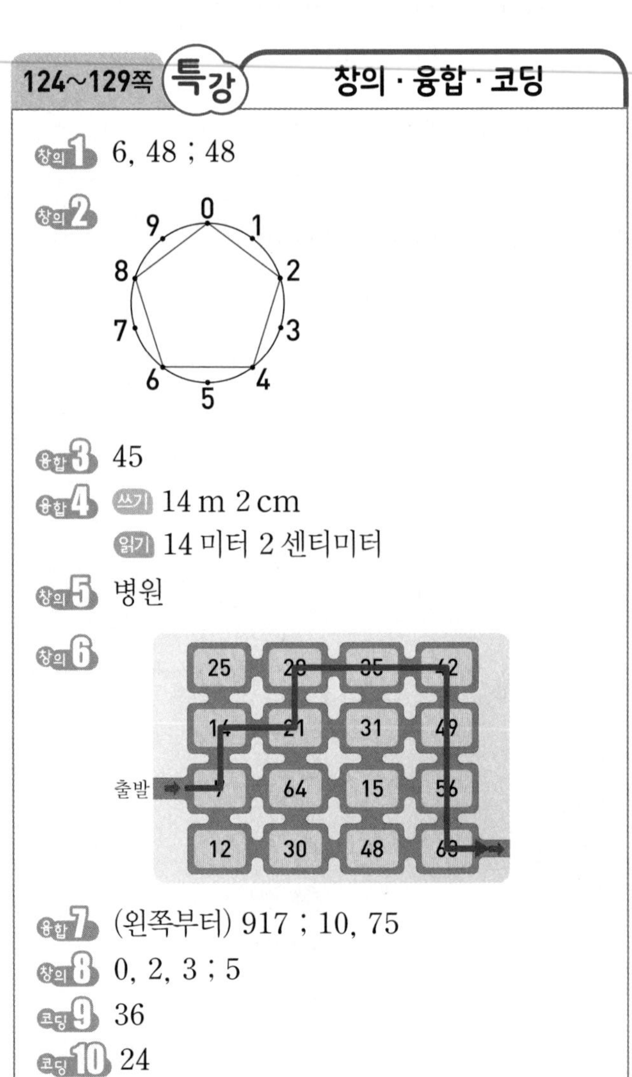

124~129쪽 특강 **창의 · 융합 · 코딩**

창의 1 6, 48 ; 48

창의 2

융합 3 45

융합 4 쓰기 14 m 2 cm
읽기 14 미터 2 센티미터

창의 5 병원

창의 6

융합 7 (왼쪽부터) 917 ; 10, 75

창의 8 0, 2, 3 ; 5

코딩 9 36

코딩 10 24

창의 2 8단 곱셈구구의 일의 자리 숫자는 8, 6, 4, 2, 0입니다.

참고
8단 곱셈구구의 일의 자리 숫자를 차례로 이어야 합니다.
8 → 6 → 4 → 2 → 0

융합 3 9×5=45(명)

융합 4 1402 cm=1400 cm+2 cm
=14 m 2 cm
미터 센티미터

창의 5
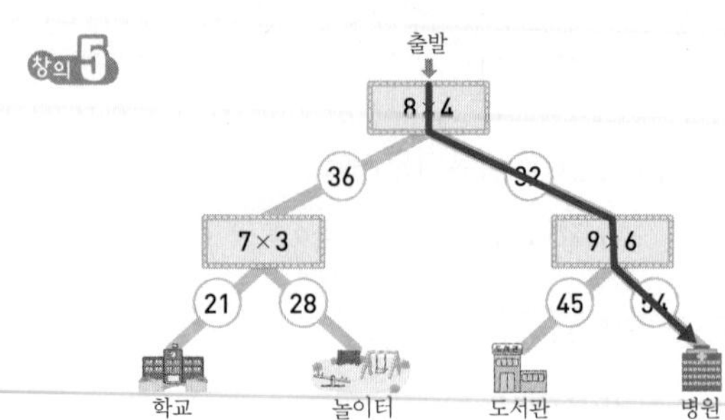

8×4=32, 9×6=54

창의 6

×	1	2	3	4	5	6	7	8	9
7	7	14	21	28	35	42	49	56	63

융합 7 • 9 m 17 cm=900 cm+17 cm
=917 cm
• 1075 cm=1000 cm+75 cm
=10 m 75 cm

창의 8 0×3=0, 1×2=2, 3×1=3
⇨ (주혁이가 얻은 점수)=0+2+3=5(점)

코딩 9
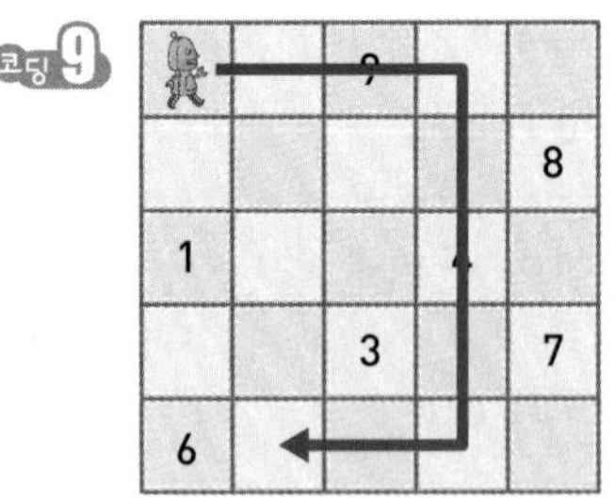

로봇이 지나간 길에 있는 수: 9, 4
⇨ 9×4=36

코딩 10
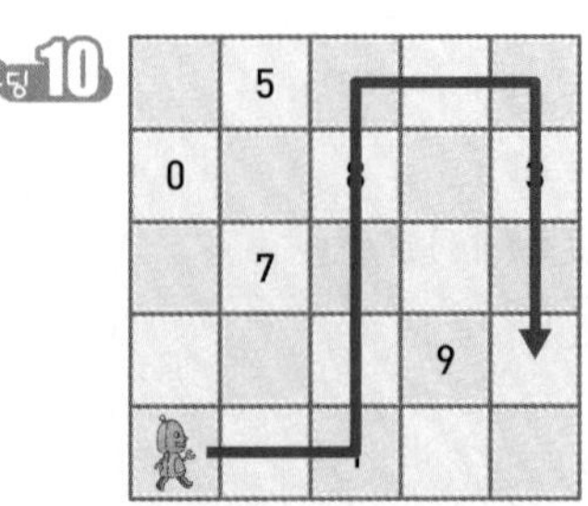

로봇이 지나간 길에 있는 수: 1, 8, 3
⇨ 1×8=8, 8×3=24

4주 길이의 합과 차(2), 시각과 시간

132~133쪽 4주에 배울 내용을 알아볼까요? ②

1-1 2, 70	1-2 230
1-3 3, 40	1-4 410
1-5 5, 10	1-6 370
2-1 7	2-2 9
2-3 2, 30	2-4 4, 30

1-1 270 cm=200 cm+70 cm
=2 m 70 cm

1-2 2 m 30 cm=200 cm+30 cm
=230 cm

1-3 340 cm=300 cm+40 cm
=3 m 40 cm

1-4 4 m 10 cm=400 cm+10 cm
=410 cm

1-5 510 cm=500 cm+10 cm
=5 m 10 cm

1-6 3 m 70 cm=300 cm+70 cm
=370 cm

2-1 짧은바늘이 7을, 긴바늘이 12를 가리키므로 7시입니다.

2-2 짧은바늘이 9를, 긴바늘이 12를 가리키므로 9시입니다.

2-3 짧은바늘이 2와 3 사이를, 긴바늘이 6을 가리키므로 2시 30분입니다.

2-4 짧은바늘이 4와 5 사이를, 긴바늘이 6을 가리키므로 4시 30분입니다.

135쪽 똑똑한 계산 연습

① 3, 70	② 5, 60
③ 4, 70	④ 7, 65
⑤ 5, 49	⑥ 9, 77
⑦ 6, 58	⑧ 8, 79

①~② cm는 cm끼리, m는 m끼리 더합니다.

③ 1 m 20 cm + 3 m 50 cm = 4 m 70 cm

④ 5 m 25 cm + 2 m 40 cm = 7 m 65 cm

⑤ 2 m 33 cm + 3 m 16 cm = 5 m 49 cm

⑥ 5 m 21 cm + 4 m 56 cm = 9 m 77 cm

⑦ 4 m 45 cm + 2 m 13 cm = 6 m 58 cm

⑧ 6 m 36 cm + 2 m 43 cm = 8 m 79 cm

137쪽 똑똑한 계산 연습

① 4, 14	② 6, 25
③ 9, 13	④ 8, 14
⑤ 5, 17	⑥ 7, 16
⑦ 9, 4	⑧ 7, 15

① (받아올림 1) 2 m 40 cm + 1 m 74 cm = 4 m 14 cm

② (받아올림 1) 3 m 85 cm + 2 m 40 cm = 6 m 25 cm

참고
cm는 cm끼리, m는 m끼리 더하고 cm끼리의 합이 100 cm와 같거나 100 cm를 넘으면 100 cm=1 m이므로 m 단위로 받아올림합니다.

③ (받아올림 1) 5 m 63 cm + 3 m 50 cm = 9 m 13 cm

④ (받아올림 1) 4 m 50 cm + 3 m 64 cm = 8 m 14 cm

⑤ (받아올림 1) 1 m 46 cm + 3 m 71 cm = 5 m 17 cm

⑥ (받아올림 1) 2 m 51 cm + 4 m 65 cm = 7 m 16 cm

⑦ (받아올림 1) 6 m 20 cm + 2 m 84 cm = 9 m 4 cm

⑧ (받아올림 1) 5 m 64 cm + 1 m 51 cm = 7 m 15 cm

정답 풀이

정답 및 풀이

138~139쪽 기초 집중 연습

1-1 3, 57	1-2 5, 75
2-1 6, 54	2-2 3, 39
2-3 5, 27	2-4 7, 16
3-1 2, 66	3-2 3, 36
3-3 3, 29	3-4 4, 29
4-1 53 ; 3, 77	4-2 92 ; 5, 28

2-1 1 m 41 cm + 5 m 13 cm = 6 m 54 cm

2-2 2 m 17 cm + 1 m 22 cm = 3 m 39 cm

2-3 (받아올림 1) 3 m 90 cm + 1 m 37 cm = 5 m 27 cm

2-4 (받아올림 1) 4 m 60 cm + 2 m 56 cm = 7 m 16 cm

3-1 1 m 13 cm + 1 m 53 cm = 2 m 66 cm

3-2 (받아올림 1) 1 m 72 cm + 1 m 64 cm = 3 m 36 cm

3-3 (받아올림 1) 1 m 54 cm + 1 m 75 cm = 3 m 29 cm

3-4 (받아올림 1) 1 m 96 cm + 2 m 33 cm = 4 m 29 cm

4-1 1 m 24 cm + 2 m 53 cm = 3 m 77 cm

4-2 (받아올림 1) 2 m 36 cm + 2 m 92 cm = 5 m 28 cm

141쪽 똑똑한 계산 연습

① 3, 60	② 1, 62
③ 4, 21	④ 4, 21
⑤ 2, 43	⑥ 5, 32
⑦ 3, 20	⑧ 4, 31

①~② cm는 cm끼리, m는 m끼리 뺍니다.

③ 6 m 52 cm − 2 m 31 cm = 4 m 21 cm

④ 9 m 47 cm − 5 m 26 cm = 4 m 21 cm

⑤ 5 m 68 cm − 3 m 25 cm = 2 m 43 cm

⑥ 7 m 44 cm − 2 m 12 cm = 5 m 32 cm

⑦ 4 m 35 cm − 1 m 15 cm = 3 m 20 cm

⑧ 8 m 53 cm − 4 m 22 cm = 4 m 31 cm

143쪽 똑똑한 계산 연습

① 1, 70	② 2, 80
③ 2, 80	④ 2, 70
⑤ 3, 81	⑥ 5, 82
⑦ 2, 80	⑧ 2, 83

① (받아내림 2, 100) 3 m 20 cm − 1 m 50 cm = 1 m 70 cm

② (받아내림 4, 100) 5 m 40 cm − 2 m 60 cm = 2 m 80 cm

참고

cm는 cm끼리, m는 m끼리 뺍니다. cm끼리 뺄 수 없으면 1 m를 100 cm로 받아내림하여 계산합니다.

③ (받아내림 6, 100) 7 m 30 cm − 4 m 50 cm = 2 m 80 cm

④ (받아내림 3, 100) 4 m 10 cm − 1 m 40 cm = 2 m 70 cm

⑤ (받아내림 8, 100) 9 m 43 cm − 5 m 62 cm = 3 m 81 cm

⑥ (받아내림 7, 100) 8 m 63 cm − 2 m 81 cm = 5 m 82 cm

⑦ (받아내림 4, 100) 5 m 46 cm − 2 m 66 cm = 2 m 80 cm

⑧ (받아내림 5, 100) 6 m 33 cm − 3 m 50 cm = 2 m 83 cm

144~145쪽 기초 집중 연습

1-1 2, 40	1-2 2, 33
2-1 3, 30	2-2 1, 32
2-3 2, 50	2-4 1, 90
3-1 3, 31	3-2 3, 14
3-3 2, 81	3-4 2, 66
4-1 23, 2, 52	4-2 58, 2, 71

2-1
$$\begin{array}{r} 4\text{ m }55\text{ cm} \\ -\ 1\text{ m }25\text{ cm} \\ \hline 3\text{ m }30\text{ cm} \end{array}$$

2-2
$$\begin{array}{r} 6\text{ m }47\text{ cm} \\ -\ 5\text{ m }15\text{ cm} \\ \hline 1\text{ m }32\text{ cm} \end{array}$$

2-3
$$\begin{array}{r} {\scriptstyle 4\quad\ 100}\quad\ \\ \not{5}\text{ m }10\text{ cm} \\ -\ 2\text{ m }60\text{ cm} \\ \hline 2\text{ m }50\text{ cm} \end{array}$$

2-4
$$\begin{array}{r} {\scriptstyle 6\quad\ 100}\quad\ \\ \not{7}\text{ m }35\text{ cm} \\ -\ 5\text{ m }45\text{ cm} \\ \hline 1\text{ m }90\text{ cm} \end{array}$$

3-1
$$\begin{array}{r} 4\text{ m }98\text{ cm} \\ -\ 1\text{ m }67\text{ cm} \\ \hline 3\text{ m }31\text{ cm} \end{array}$$

3-2
$$\begin{array}{r} 5\text{ m }27\text{ cm} \\ -\ 2\text{ m }13\text{ cm} \\ \hline 3\text{ m }14\text{ cm} \end{array}$$

3-3
$$\begin{array}{r} {\scriptstyle 4\quad\ 100}\quad\ \\ \not{5}\text{ m }34\text{ cm} \\ -\ 2\text{ m }53\text{ cm} \\ \hline 2\text{ m }81\text{ cm} \end{array}$$

3-4
$$\begin{array}{r} {\scriptstyle 3\quad\ 100}\quad\ \\ \not{4}\text{ m }58\text{ cm} \\ -\ 1\text{ m }92\text{ cm} \\ \hline 2\text{ m }66\text{ cm} \end{array}$$

4-1
$$\begin{array}{r} 3\text{ m }75\text{ cm} \\ -\ 1\text{ m }23\text{ cm} \\ \hline 2\text{ m }52\text{ cm} \end{array}$$

4-2
$$\begin{array}{r} {\scriptstyle 4\quad\ 100}\quad\ \\ \not{5}\text{ m }29\text{ cm} \\ -\ 2\text{ m }58\text{ cm} \\ \hline 2\text{ m }71\text{ cm} \end{array}$$

147쪽 똑똑한 계산 연습

① 4, 10	② 1, 20
③ 2, 50	④ 9, 15
⑤ 5, 42	⑥ 3, 31
⑦ 2, 27	⑧ 8, 39

① 짧은바늘이 4와 5 사이를 가리키고, 긴바늘이 2를 가리키므로 4시 10분입니다.

② 짧은바늘이 1과 2 사이를 가리키고, 긴바늘이 4를 가리키므로 1시 20분입니다.

③ 짧은바늘이 2와 3 사이를 가리키고, 긴바늘이 10을 가리키므로 2시 50분입니다.

④ 짧은바늘이 9와 10 사이를 가리키고, 긴바늘이 3을 가리키므로 9시 15분입니다.

⑤ 짧은바늘이 5와 6 사이를 가리키고, 긴바늘이 8에서 작은 눈금 2칸 더 간 곳을 가리키므로 5시 42분입니다.

⑥ 짧은바늘이 3과 4 사이를 가리키고, 긴바늘이 6에서 작은 눈금 1칸 더 간 곳을 가리키므로 3시 31분입니다.

⑦ 짧은바늘이 2와 3 사이를 가리키고, 긴바늘이 5에서 작은 눈금 2칸 더 간 곳을 가리키므로 2시 27분입니다.

⑧ 짧은바늘이 8과 9 사이를 가리키고, 긴바늘이 7에서 작은 눈금 4칸 더 간 곳을 가리키므로 8시 39분입니다.

149쪽 똑똑한 계산 연습

① 10, 50 ; 11, 10	② 6, 45 ; 7, 15
③ 8, 55 ; 9, 5	④ 4, 50 ; 5, 10
⑤ 5	⑥ 3
⑦ 5, 50	⑧ 2, 52

① 10시 50분은 11시가 되기 10분 전의 시각이므로 11시 10분 전입니다.

② 6시 45분은 7시가 되기 15분 전의 시각이므로 7시 15분 전입니다.

③ 8시 55분은 9시가 되기 5분 전의 시각이므로 9시 5분 전입니다.

④ 4시 50분은 5시가 되기 10분 전의 시각이므로 5시 10분 전입니다.

⑤ 4시 55분은 5시가 되기 5분 전의 시각이므로 5시 5분 전입니다.

⑥ 7시 57분은 8시가 되기 3분 전의 시각이므로 8시 3분 전입니다.

⑦ 6시 10분 전은 6시가 되기 10분 전의 시각이므로 5시 50분입니다.

⑧ 3시 8분 전은 3시가 되기 8분 전의 시각이므로 2시 52분입니다.

150~151쪽	기초 집중 연습

1-1

1-2

1-3

1-4

2-1 ㉡ 2-2 ㉠
2-3 ㉢ 2-4 ㉡
3-1 7, 20 3-2 12, 25
4-1 5, 40 4-2 1, 39

1-1 2시 5분이므로 긴바늘이 1을 가리키도록 그립니다.

1-2 7시 45분이므로 긴바늘이 9를 가리키도록 그립니다.

1-3 1시 28분이므로 긴바늘이 5에서 작은 눈금 3칸 더 간 곳을 가리키도록 그립니다.

1-4 2시 13분이므로 긴바늘이 2에서 작은 눈금 3칸 더 간 곳을 가리키도록 그립니다.

2-1 6시 55분은 7시가 되려면 5분이 더 지나야 하므로 7시 5분 전입니다.

2-2 1시 53분은 2시가 되려면 7분이 더 지나야 하므로 2시 7분 전입니다.

2-3 10시 50분은 11시가 되려면 10분이 더 지나야 하므로 11시 10분 전입니다.

2-4 7시 54분은 8시가 되려면 6분이 더 지나야 하므로 8시 6분 전입니다.

3-1 짧은바늘이 7과 8 사이를 가리키고, 긴바늘이 4를 가리키므로 7시 20분입니다.

3-2 짧은바늘이 12와 1 사이를 가리키고, 긴바늘이 5를 가리키므로 12시 25분입니다.

4-1 

⇨ 5시 40분

4-2 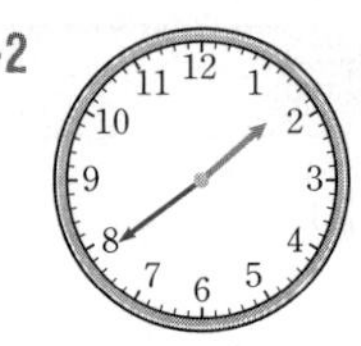

⇨ 1시 39분

153쪽	똑똑한 계산 연습

① 60, 90 ② 60, 1, 35
③ 60, 105 ④ 60, 1, 15
⑤ 60, 120 ⑥ 40, 1, 40
⑦ 130 ⑧ 1, 25
⑨ 150 ⑩ 1, 55

⑦ 2시간 10분=120분+10분=130분

⑧ 85분=60분+25분=1시간 25분

⑨ 2시간 30분=120분+30분=150분

⑩ 115분=60분+55분=1시간 55분

155쪽	똑똑한 계산 연습

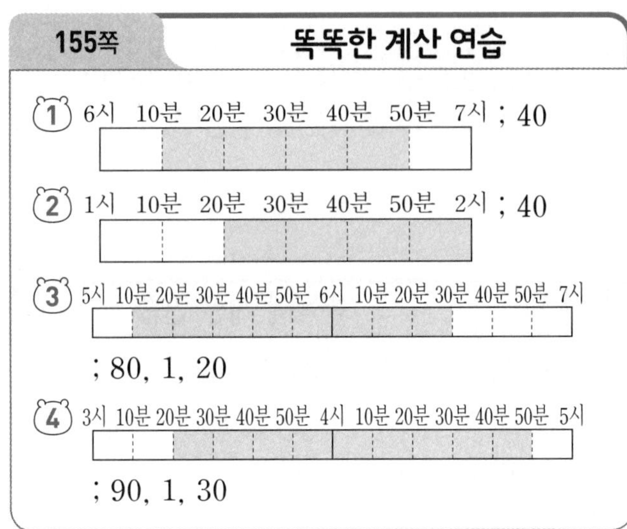

① 6시 10분부터 6시 50분까지는 40분입니다.

② 1시 20분부터 2시까지는 40분입니다.

③ 5시 10분부터 6시 30분까지는 80분입니다.
⇨ 80분=60분+20분=1시간 20분

④ 3시 20분부터 4시 50분까지는 90분입니다.
⇨ 90분=60분+30분=1시간 30분

156~157쪽 기초 집중 연습

1-1 [○] [ ]	**1-2** [○] [ ]
1-3 [○] [ ]	**1-4** [ ] [○]
2-1 3, 30	**2-2** 8, 20
3-1 4, 50	**3-2** 9, 30
4-1 1, 20	**4-2** 1, 10
4-3 1, 10	**4-4** 1, 30
5-1 95	**5-2** 1, 5

1-1 1시간 15분=60분+15분=75분
⇨ 75분>70분

1-2 130분=120분+10분=2시간 10분
⇨ 2시간 10분>2시간

1-3 110분=60분+50분=1시간 50분
⇨ 1시간 50분>1시간 40분

1-4 2시간 20분=120분+20분=140분
⇨ 140분<150분

2-1 2시 30분 $\xrightarrow[\text{1시간 후}]{}$ 3시 30분

2-2 7시 20분 $\xrightarrow[\text{1시간 후}]{}$ 8시 20분

3-1 4시 30분 $\xrightarrow[\text{20분 후}]{}$ 4시 50분

3-2 9시 10분 $\xrightarrow[\text{20분 후}]{}$ 9시 30분

4-1 2시 30분 $\xrightarrow[\text{1시간 후}]{}$ 3시 30분 $\xrightarrow[\text{20분 후}]{}$ 3시 50분
⇨ 1시간+20분=1시간 20분

4-2 4시 10분 $\xrightarrow[\text{1시간 후}]{}$ 5시 10분 $\xrightarrow[\text{10분 후}]{}$ 5시 20분
⇨ 1시간+10분=1시간 10분

4-3 3시 40분 $\xrightarrow[\text{1시간 후}]{}$ 4시 40분 $\xrightarrow[\text{10분 후}]{}$ 4시 50분
⇨ 1시간+10분=1시간 10분

4-4 1시 20분 $\xrightarrow[\text{1시간 후}]{}$ 2시 20분 $\xrightarrow[\text{30분 후}]{}$ 2시 50분
⇨ 1시간+30분=1시간 30분

5-1 1시간 35분=60분+35분=95분

5-2 65분=60분+5분=1시간 5분

159쪽 똑똑한 계산 연습

① 24, 32	② 24, 1
③ 24, 36	④ 24, 1
⑤ 1, 24, 48	⑥ 4, 4
⑦ 54	⑧ 1, 14
⑨ 57	⑩ 2, 7

⑨ 2일 9시간=48시간+9시간=57시간

⑩ 55시간=48시간+7시간=2일 7시간

161쪽 똑똑한 계산 연습

① ×	② ○	③ ○
④ 7, 12	⑤ 7, 1	
⑥ 12, 20	⑦ 12, 1	
⑧ 13	⑨ 2, 3	
⑩ 26	⑪ 2, 4	

⑧ 1주일 6일=7일+6일=13일

⑨ 17일=7일+7일+3일=2주일 3일

⑩ 2년 2개월=1년+1년+2개월
=12개월+12개월+2개월
=26개월

⑪ 28개월=12개월+12개월+4개월
=1년+1년+4개월
=2년 4개월

162~163쪽 기초 집중 연습

1-1	**1-2**
2-1 <	**2-2** =
2-3 >	**2-4** =
2-5 <	**2-6** >
3-1 91	**3-2** 92
3-3 92	**3-4** 92
4-1 15	**4-2** 1, 4

2-1 1주일 4일=7일+4일=11일
⇨ 11일<12일

2-2 2주일 2일=14일+2일=16일

2-3 1년 7개월=12개월+7개월=19개월
⇨ 19개월>15개월

2-4 2년 3개월=24개월+3개월=27개월

2-5 1년 9개월=12개월+9개월=21개월
⇨ 21개월<22개월

2-6 2년 7개월=24개월+7개월=31개월
⇨ 31개월>30개월

4-1 1년 3개월=12개월+3개월=15개월

4-2 16개월=12개월+4개월=1년 4개월

164~165쪽 누구나 100점 맞는 TEST

❶ 3, 55	❷ 8, 42
❸ 8, 15	❹ 5, 22
❺ 3, 64	❻ 3, 82
❼ 3, 50 ; 4, 10	❽ 2, 55 ; 3, 5
❾ 1, 57 ; 2, 3	❿ 8, 54 ; 9, 6
⓫ 73	⓬ 1, 52
⓭ 37	⓮ 1, 21
⓯ 17	⓰ 2, 5
⓱ 21	⓲ 1, 11
⓳ 30	⓴ 40

⓫ 1시간 13분=60분+13분=73분

⓬ 112분=60분+52분=1시간 52분

⓭ 1일 13시간=24시간+13시간=37시간

⓮ 45시간=24시간+21시간=1일 21시간

⓯ 2주일 3일=14일+3일=17일

⓰ 19일=14일+5일=2주일 5일

⓱ 1년 9개월=12개월+9개월=21개월

⓲ 23개월=12개월+11개월=1년 11개월

⓳ 1시 20분 $\xrightarrow[\text{30분 후}]{}$ 1시 50분

⓴ 3시 30분 $\xrightarrow[\text{30분 후}]{}$ 4시 $\xrightarrow[\text{10분 후}]{}$ 4시 10분
⇨ 30분+10분=40분

166~171쪽 특강 창의 · 융합 · 코딩

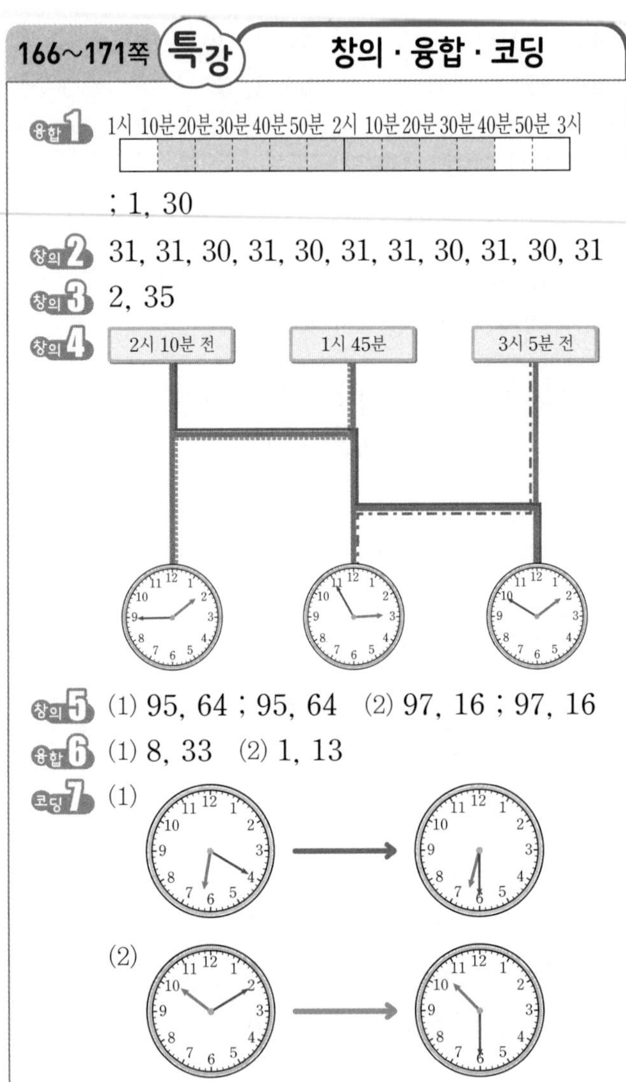

창의 3 짧은바늘이 2와 3 사이를 가리키고, 긴바늘이 7을 가리키므로 2시 35분입니다.

융합 6 (1) 833 cm=800 cm+33 cm
=8 m 33 cm
(2) 8 m 33 cm−7 m 20 cm=1 m 13 cm

코딩 7 (1) 6시 $\xrightarrow[\text{20분 후}]{}$ 6시 20분 $\xrightarrow[\text{10분 후}]{}$ 6시 30분
(2) 9시 10분 $\xrightarrow[\text{1시간 후}]{}$ 10시 10분 $\xrightarrow[\text{20분 후}]{}$ 10시 30분

정답은
이안에
있어!